# Developing Chinese

第二版
2nd Edition

## Elementary Reading and Writing Course

## 初级读写

## （II）

李泉 王淑红 么书君 编著
严禔 插图

# Developing Chinese

第二版
2nd Edition

**编写委员会**

主　编：李　泉

副主编：么书君　张　健

编　委：李　泉　么书君　张　健　王淑红　傅　由　蔡永强

# 总前言

《发展汉语》（第二版）为普通高等教育“十一五”国家级规划教材。为保证本版编修的质量和效率，特成立教材编写委员会和教材编辑委员会。编辑委员会广泛收集全国各地使用者对初版《发展汉语》的使用意见和建议，编写委员会据此并结合近年来海内外第二语言教学新的理论和理念，以及对外汉语教学和教材理论与实践的新发展，制定了全套教材和各系列及各册教材的编写方案。编写委员会组织全体编者，对所有教材进行了全面更新。

## 适用对象

《发展汉语》（第二版）主要供来华学习汉语的长期进修生使用，可满足初（含零起点）、中、高各层次主干课程的教学需要。其中，初、中、高各层次的教材也可供汉语言专业本科教学选用，亦可供海内外相关的培训课程及汉语自学者选用。

## 结构规模

《发展汉语》（第二版）采取综合语言能力培养与专项语言技能训练相结合的外语教学及教材编写模式。全套教材分为三个层级、五个系列，即纵向分为初、中、高三个层级，横向分为综合、口语、听力、阅读、写作五个系列。其中，综合系列为主干教材，口语、听力、阅读、写作系列为配套教材。

全套教材共28册，包括：初级综合（Ⅰ、Ⅱ）、中级综合（Ⅰ、Ⅱ）、高级综合（Ⅰ、Ⅱ），初级口语（Ⅰ、Ⅱ）、中级口语（Ⅰ、Ⅱ）、高级口语（Ⅰ、Ⅱ），初级听力（Ⅰ、Ⅱ）、中级听力（Ⅰ、Ⅱ）、高级听力（Ⅰ、Ⅱ），初级读写（Ⅰ、Ⅱ）、中级阅读（Ⅰ、Ⅱ）、高级阅读（Ⅰ、Ⅱ），中级写作（Ⅰ、Ⅱ）、高级写作（Ⅰ、Ⅱ）。其中，每一册听力教材均分为“文本与答案”和“练习与活动”两本；初级读写（Ⅰ、Ⅱ）为本版补编，承担初级阅读和初级写话双重功能。

## 编写理念

“发展”是本套教材的核心理念。发展蕴涵由少到多、由简单到复杂、由生疏到熟练、由模仿、创造到自如运用。“发展汉语”寓意发展学习者的汉语知识，发展学习者对汉语的领悟能力，发展学习者的汉语交际能力，发展学习者的汉语学习能力，不断拓展和深化学习者对当代中国社会及历史文化的了解范围和理解能力，不断增强学习者的跨文化交际能力。

“集成、多元、创新”是本套教材的基本理念。集成即对语言要素、语言知识、文化知识以及汉语听、说、读、写能力的系统整合与综合；多元即对教学法、教学理论、教学大纲以及教学材料、训练方式和手段的兼容并包；创新即在遵循汉语作为外语或第二语言教学规律、继承既往成熟的教学经验、汲取新的教学和教材编写研究成果的基础上，对各系列教材进行整体和局部的特色设计。

## 教材目标

总体目标：全面发展和提高学习者的汉语语言能力、汉语交际能力、汉语综合运用能力和汉语学习兴趣、汉语学习能力。

具体目标：通过规范的汉语、汉字知识及其相关文化知识的教学，以及科学而系统的听、说、读、写等语言技能训练，全面培养和提高学习者对汉语要素（语音、汉字、词汇、语法）形式与意义的辨别和组配能力，在具体文本、语境和社会文化规约中准确接收和输出汉语信息的能力，运用汉语进行适合话语情境和语篇特征的口头和书面表达能力；借助教材内容及其教学实施，不断强化学习者汉语学习动机和自主学习的能力。

## 编写原则

为实现本套教材的编写理念、总体目标及具体目标，特确定如下编写原则：

（1）课文编选上，遵循第二语言教材编写的针对性、科学性、实用性、趣味性等核心原则，以便更好地提升教材的质量和水平，确保教材的示范性、可学性。

（2）内容编排上，遵循第二语言教材编写由易到难、急用先学、循序渐进、重复再现等通用原则，并特别采取“小步快走”的编写原则，避免长对话、长篇幅的课文，所有课文均有相应的字数限制，以确保教材好教易学，增强学习者的成就感。

（3）结构模式上，教材内容的编写、范文的选择和练习的设计等，总体上注重“语言结构、语言功能、交际情境、文化因素、活动任务”的融合、组配与照应；同时注重话题和场景、范文和语体的丰富性和多样化，以便全面培养学习者语言理解能力和语言交际能力。

（4）语言知识上，遵循汉语规律、汉语教学规律和汉语学习规律，广泛吸收汉语本体研究、汉语教学研究和汉语习得研究的科学成果，以确保知识呈现恰当，诠释准确。

（5）技能训练上，遵循口语、听力、阅读、写作等单项技能和综合技能训练教材的编写规律，充分凸显各自的目标和特点，同时注重听说、读说、读写等语言技能的联合训练，以便更好地发挥“综合语言能力 + 专项语言技能”训练模式的优势。

（6）配套关联上，发挥系列配套教材的优势，注重同一层级不同系列平行或相邻课文之间，在话题内容、谈论角度、语体语域、词汇语法、训练内容与方式等方面的协调、照应、转换、复现、拓展与深化等，以便更好地发挥教材的集成特点，形成“共振”合力，便于学习者综合语言能力的养成。

（7）教学标准上，以现行各类大纲、标准和课程规范等为参照依据，制定各系列教材语言要素、话题内容、功能意念、情景场所、交际任务、文化项目等大纲，以增强教材的科学性、规范性和实用性。

## 实施重点

为体现本套教材的编写理念和编写原则，实现教材编写的总体目标和具体目标，全套教材突出了以下实施重点：

（1）系统呈现汉语实用语法、汉语基本词汇、汉字知识、常用汉字；凸显汉语语素、语段、语篇教学；重视语言要素的语用教学、语言项目的功能教学；多方面呈现汉语口语语体和书面语体的特点及其层次。

（2）课文内容、文化内容今古兼顾，以今为主，全方位展现当代中国社会生活；有针对性地融入与学习者理解和运用汉语密切相关的知识文化和交际文化，并予以恰当的诠释。

（3）探索不同语言技能的科学训练体系，突出语言技能的单项、双项和综合训练；在语言要素学习、课文读解、语言点讲练、练习活动设计、任务布置等各个环节中，凸显语言能力教学和语言应用能力训练的核心地位。并通过各种练习和活动，将语言学习与语言实践、课内学习与课外习得、课堂教学与目的语环境联系起来、结合起来。

（4）采取语言要素和课文内容消化理解型练习、深化拓展型练习以及自主应用型练习相结合的训练体系。几乎所有练习的篇幅都超过该课总篇幅的一半以上，有的达到了 2/3 的篇幅；同时，为便于学习者准确地理解、掌握和恰当地输出，许多练习都给出了交际框架、示例、简图、图片、背景材料、任务要求等，以便更好地发挥练习的实际效用。

（5）广泛参考《汉语水平等级标准与语法等级大纲》（1996）、《汉语水平词汇与汉字等级大纲》（2001）、《高等学校外国留学生汉语言专业教学大纲》（2002）、《国际汉语教学通用课程大纲》（2008）、《欧洲语言共同参考框架：学习、教学、评估》（中译本，2008）、《新汉语水平考试大纲（HSK1–6 级）》（2009–2010）等各类大纲和标准，借鉴其相关成果和理念，为语言要素层级确定和选择、语言能力要求的确定、教学话题及其内容选择、文化题材及其学习任务建构等提供依据。

（6）依据《高等学校外国留学生汉语教学大纲（长期进修）》（2002），为本套教材编写设计了词汇大纲编写软件，用来筛选、区分和确认各等级词汇，控制每课的词汇总量和超级词、超纲词数量。在实施过程中充分依据但不拘泥于“长期进修”大纲，而是参考其他各类大纲并结合语言生活实际，广泛吸收了诸如“手机、短信、邮件、上网、自助餐、超市、矿泉水、物业、春运、打工、打折、打包、酒吧、客户、密码、刷卡”等当代中国社会生活中已然十分常见的词语，以体现教材的时代性和实用性。

### 基本定性

《发展汉语》（第二版）是一个按照语言技能综合训练与分技能训练相结合的教学模式编写而成的大型汉语教学和学习平台。整套教材在语体和语域的多样性、语言要素和语言知识及语言技能训练的系统性和针对性，在反映当代中国丰富多彩的社会生活、展现中国文化的多元与包容等方面，都作出了新的努力和尝试。

《发展汉语》（第二版）是一套听、说、读、写与综合横向配套，初、中、高纵向延伸的、完整的大型汉语系列配套教材。全套教材在共同的编写理念、编写目标和编写原则指导下，按照统一而又有区别的要求同步编写而成。不同系列和同一系列不同层级分工合作、相互协调、纵横照应。其体制和规模在目前已出版的国际汉语教材中尚不多见。

### 特别感谢

感谢国家教育部将《发展汉语》（第二版）列入国家级规划教材，为我们教材编写增添了动力和责任感。感谢编写委员会、编辑委员会和所有编者高度的敬业精神、精益求精的编写态度，以及所投入的热情和精力、付出的心血与智慧。其中，编写委员会负责整套教材及各系列教材的规划、设计与编写协调，并先后召开几十次讨论会，对每册教材的课文编写、范文遴选、体例安排、注释说明、练习设计等，进行全方位的评估、讨论和审定。

感谢中国人民大学么书君教授和北京语言大学出版社张健总编辑为整套教材编写作出的特别而重要的贡献。感谢北京语言大学出版社戚德祥董事长对教材编写和编辑工作的有力支持。感谢关注本套教材并贡献宝贵意见的对外汉语教学界专家和全国各地的同行。

## 特别期待

○ 把汉语当做交际工具而不是知识体系来教、来学。坚信语言技能的训练和获得才是最根本、最重要的。

○ 鼓励自己喜欢每一本教材及每一课书。教师肯于花时间剖析教材，谋划教法。学习者肯于花时间体认、记忆并积极主动运用所学教材的内容。坚信满怀激情地教和饶有兴趣地学会带来丰厚的回馈。

○ 教师既能认真“教教材”，也能发挥才智弥补教材的局限与不足，创造性地“用教材教语言”，而不是“死教教材”、“只教教材”，并坚信教材不过是教语言的材料和工具。

○ 学习者既能认真“学教材”，也能积极主动“用教材学语言”，而不是“死学教材”、“只学教材”，并坚信掌握一种语言既需要通过课本来学习语言，也需要在社会中体验和习得语言，语言学习乃终生之大事。

李　泉

# 编写说明

## 适用对象

《发展汉语·初级读写》(II)与《发展汉语·初级读写》(I)相衔接，适合掌握了汉语的基本句型和1000–1200个常用汉语词汇、具备了最基本的汉语交际能力的学习者使用。

## 定性定位

由于学习者语言水平的限制，《初级读写》不可能按一般意义上的阅读教材或写作教材来设计和编写，而多年的教学实践表明：零起点开始的初级汉语教学确实需要开设一门用于消化、深化和拓展以综合课为主的初级汉语教学内容的课程，以进一步打牢汉语基础，并为顺利地进入中级阶段的汉语学习作好准备。为此，我们根据初级阶段汉语教学的特点和教学的实际需要，拟通过精读和泛读某些实用语块以及相关的读写训练，来巩固和深化学习者认汉字、写汉字，认词语、写词语，认句子、写句子，读句段、写句段，读短文、写短文的能力；强化和拓展学习者感知汉语语音语调、认知汉语语素、内化汉语句法结构的能力；增强和提高学习者初级阶段的汉语阅读理解能力和口头表达能力。因此，《初级读写》是针对初级阶段教学和学习的实际需求而设计的配套教材，以帮助学习者强化汉语基础，减缓初、中级之间语言学习的“陡坡”。

## 教材目标

本教材的目标是：通过实用语块、语句的理解，朗读和背诵以及其他相关的读写训练，进一步强化、深化和拓展学习者的汉语语法、语用知识，牢固掌握汉语的基本句法结构；初步养成认知实用语句的能力和短文写作能力；进一步增强学习者的汉语语感。具体而言：

（1）感知、体认和掌握汉语的韵律结构、表达方式和表达习惯。

（2）巩固、深化和拓展初级阶段所学和应学的词汇和语法知识。

（3）牢固掌握汉语的基本句法结构、基本句型和常见的语法、语用手段。

（4）熟练掌握“朗读并背诵”中的语句，并能识认目的语环境中多种场合的实用语块。

（5）能读懂与学习者汉语水平相当的短文，并能参仿所读内容，完成相关的短文写作任务。

## 特色追求

（1）突出语块教学，打牢汉语基础

初级阶段是汉语学习的关键阶段，打好学习者的汉语基础不仅有利于扎实而充分地完成本阶段的教学任务，更有利于学习者顺利地进入中级阶段的汉语学习。其中，本册教材进一步加强了汉语基本句法结构（主谓、动宾、动补、定中、状中等）以及某些有汉语特点的句式（如各类“把”字句、“被”字句等）的教学。而突出词组和句子结构规则一体化的教学、突出常用重点句式的教学，即是加强了基于汉语特点的教学。这其中又以凸显汉语词组、短句和格式结构——语块的教学为核心。基于语块的汉语教学不仅能够有效地减轻学习者初级阶段语言输入和输出的心理负担，有效地提高学习者语言使用的便捷性和流利性，而且能够体现和实现突出语音语调、实用词组和常见短句以及基本句法结构教学的目的。

（2）语言要素教学与语块教学相结合

语块教学以整体认知、记忆和使用为基本特征，以理解基础上的背诵为基本的学习方法。初级阶段的语块教学不仅体现了语言习得的认知规律，也是中国传统的以背诵为主的启蒙教育的方法在对外汉语教学中的应用和体现。然而，语块教学只是特定教学阶段和特定教学内容的一种教学方式，对于初级阶段的汉语教学来说，它还应当配合以结构主义语言教学为主的外语教学方式，如此才能将语言要素教学跟预制语块教学结合起来，相得益彰。为此，本教材重视重现、深化、强化和拓展以《初级综合》为主的基础阶段语音、汉字、词汇和语法结构的教学，将语言要素的教学和语言技能的训练与语块教学结合起来、融合起来。

（3）突出实用性读写训练，拓展语言能力

通过教材设计的重点精读课文——朗读并背诵，以及泛读材料——实用阅读、相关阅读和阅读练习等读写训练，来满足学习者当前语言学习和语言生活的实际需求，完成复现和深化语言知识教学和认、读、写等语言技能的训练。同时，力求把语言学习跟目的语环境结合起来，通过实用阅读、相关阅读、实用练习和阅读理解等教学环节的实施，来拓展学习者在多种场合和情境下的实用汉语阅读能力，增强学习者语言学习的成就感和在目的语环境中实际应用汉语的能力。

（4）突出汉语韵律特征，加强朗读和背诵教学

《初级读写》的一个重要尝试是：尽可能将每课首段的精读课文编成上口、易记的顺口溜，通过长短不等的语块在韵律上的和谐配置，让学习者来感知汉语的韵律特征，并在理解、朗读的基础上背诵这些韵律和谐的语块、语句，以求高效地掌握汉语。如，“长江长，黄河黄。黄河没有长江长，长江没有黄河黄。黄河黄，黄河宽，黄河共有九十九道弯。长江长，长江宽，长江没有那么多弯。”这样一些内容真实、有语法知识（如其中的主谓结构、主谓宾结构、表示“不及”的比较句）、韵律和谐、上口易记的课文显然易教易学。古今汉语的语言运用实践表明：易学易记、广为流传的好的语言表达，除了有内涵外，语言形式上的韵律和谐（音近、谐音、押韵）是必不可少的重要条件。而朗读和背诵是内化语言知识、提高语言理解和运用能力、增强语感的重要途径。

## 使用建议

（1）本教材共 15 课，每课建议用 2 课时完成。

（2）每课首段的精读课文“朗读并背诵”是教学的重点，是本教材语块、惯用语句教学的关键与核心所在，要求在理解的基础上，由教师带领学生朗读、熟读直至背诵下来。

（3）每一课的“朗读并背诵”都链接了一句“文化语句”。这些精选的文化语句是了解中国人的思想观念、价值取向、生活哲理的重要途径。在朗读和背诵主课文后，由教师用汉语或者学习者的母语（或媒介语）来诠释与主课文内容有一定联系的文化语句，并带领学生背诵下来。这样不仅深化和拓展了主课文所学的内容，也增强了学习者对中国文化的认知。

（4）“实用阅读”及与此相关的“相关阅读”是本教材的泛读内容，它们是本教材试图在初级阶段引入真实语料的一个大胆尝试，其中包含了历史文化知识和国情知识。建议教师帮助学习者认读和理解相关的内容，以提升他们的实用阅读理解能力。

（5）“阅读练习”和“读后写作”也是本教材的泛读内容，可在课堂教学过程中完成，其中短文写作可在课上跟学习者讨论写作的思路和角度，具体写作可留在课后完成。

### 特别期待

◎ 课前认真预习你将学习的每一课。

◎ 反复大声朗读你正在学习的课文。

◎ 喜欢每一篇课文，并学在其中，乐在其中。

◎ 课后经常复习学过的课文，积极寻找机会使用所学内容。

◇ 及时批改和讲评学习者的课内外作业。

◇ 真诚而恰当地肯定学习者的每一次进步。

◇ 课下深度备课，课上激情投入。

◇ 适时而恰当地传授学习策略，发展学习者的汉语学习能力。

《发展汉语》（第二版）编写委员会及本册教材编者

# 目 录 Contents


1 一学就会 …… 1
Be Quick to Learn

2 走遍天下 …… 6
Travel All Over the World

3 打开一扇窗户 …… 11
Open a Window

4 对什么都感兴趣 …… 16
Be Interested in Everything

5 黄河九十九道弯 …… 22
The Meandering Yellow River

6 一时半会儿改不了 …… 28
Change Takes Time

7 谁偷走了我的日子 …… 34
Who Stole My Time

8 发展才是硬道理 …… 40
Development Is the Top Priority

9 家里等我回电话 …… 46
My Family Is Waiting for Me to Call Back

10 有一种智慧叫中庸 …… 53
The Wisdom of Golden Mean

11 学好汉语才回家 …… 59
I Won't Go Home Until I Learn Chinese Well

12 我的心中有愿望 ······ 65
I Have a Wish

13 感觉越来越好 ······ 71
Feel Better and Better

14 心动不如行动 ······ 77
Act on Your Dream

15 我爱你，舌尖上的中国 ······ 83
I love Chinese Delicacies

# 1 一学就会

# Be Quick to Learn

## 一、朗读并背诵 *Read and recite*

一 学 就 会。一 看 就 懂。
Yì xué jiù huì. Yí kàn jiù dǒng.

容易 的，一 学 就 会。简单 的，一 看 就 懂。
Róngyì de, yì xué jiù huì. Jiǎndān de, yí kàn jiù dǒng.

问 一 问，就 清楚 了。看 一 看，就 明白 了。
Wèn yí wèn, jiù qīngchu le. Kàn yí kàn, jiù míngbai le.

不 明白 的，问 一 问 就 清楚 了。
Bù míngbai de, wèn yí wèn jiù qīngchu le.

不 清楚 的，看 一 看 就 明白 了。
Bù qīngchu de, kàn yí kàn jiù míngbai le.

送 你 送到 中国 来，有 几 句 话 要 交代：
Sòng nǐ sòngdào Zhōngguó lái, yǒu jǐ jù huà yào jiāodài:

记住 我 的 情，记住 我 的 爱，记住 有 我 在 等待。
Jìzhù wǒ de qíng, jìzhù wǒ de ài, jìzhù yǒu wǒ zài děngdài.

认真 学 汉语，安心 学 汉语，等 你 回来 教 汉语。
Rènzhēn xué Hànyǔ, ānxīn xué Hànyǔ, děng nǐ huílai jiāo Hànyǔ.

简单 jiǎndān simple
清楚 qīngchu clear
送 sòng to see sb. off
交代 jiāodài to leave word, to tell
记住 jìzhù to remember
等待 děngdài to wait
安心 ānxīn to feel at ease

文化语句 *Cultural Quote*
既来之，则安之。
Jì lái zhī, zé ān zhī.

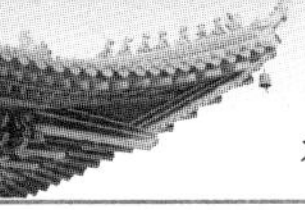

## 二、实用阅读 *Practical reading*

请整齐摆放（bǎifàng to put, to place）自行车　　修车

消防（xiāofáng fire-fighting）通道（tōngdào passageway, channel）禁止停车

## 三、相关阅读 *Related reading*

几十年前，中国是一个自行车大国，自行车在中国人的生活中非常重要。大人上班下班要骑车，孩子上学放学要骑车。那时候，人们的生活几乎离不开自行车，有些人家里有两三辆自行车。今天，中国的经济发展了，开汽车的人多了，骑自行车的人少了；修汽车的人多了，修自行车的人少了。汽车多了，乱停车的也多了，有时候禁止停车的地方也有人停车，还有的时候，消防通道也停了车。

根据阅读内容选择 Choose the right answers according to what you have read.

1. 以前在中国：

A 汽车多　　B 自行车多　　C 每家有两辆车

2. 现在在中国：

A 修汽车很难　　B 没人修自行车　　C 有些人乱停车

3. 消防通道：

A 不可以停车　　B 可以停汽车　　C 能停自行车

## 四、阅读练习 *Reading exercises*

1. 请参照例句（1），分别为（2）-（6）找出合适的下句

Choose the right responses to Sentences (2)-(6) following the example.

例如：（1）这个字字典里有吗？（ C ）

（2）您帮了我们这么大的忙，我都不知道说什么好了。（　）

（3）他每次都听着音乐写作业。（　）

（4）见了他的面，就说我问他好。（　）

（5）他说今天有事来不了了。（　）

（6）快点儿，我们都在等着你呢。（　）

A 不好意思，我又来晚了。

B 我看，他不是有事来不了，而是不想来吧。

C 那还用问，肯定有。

D 放心，一定把话带到。

E 您太客气了，咱们是邻居，应该的。

F 一点儿也不奇怪，很多学生都这样。

2. 排序组句，并加上标点 Rearrange and punctuate the following sentences.

例如：A 是真的没时间

B 下次吧，下次我肯定去

C 我不是不愿意去 C，A，B。

（1）A 为了每天早上起床

B 可是有些时候还是起不来

C 我买了两个闹钟 ________

（2）A 今天手机找不着了

B 昨天丢了一把雨伞

C 接下来还会丢什么呢 ________

（3）A 人却不在房间里

B 他的门开着呢

C 电视也开着 ________

（4）A 不要天天迟到

B 告诉你要入乡随俗

C 下面这段话是写给你的吧 ________

（5）A 语言是一种习惯

B 有些时候没有那么多为什么

C 学习语言就是学习一种习惯 ________

## 五、读后写作 *Read and write*

成语“既来之，则安之”是《论语》里的一句话。它的意思是：“既然来到了这里，就要安下心来。”但这句话是不是也可以这样理解（lǐjiě to understand）：当人们在一个不太适应的新环境中，遇到不如意（rúyì as one wishes）的事情，遇到困难的时候，我们就可以用“既来之，则安之”来鼓励（gǔlì to encourage）人们一定要坚持下去，要坚持到最后。因为坚持下来，就会适应，就能克服（kèfú to overcome）困难，就有可能成功。

要求：阅读短文，结合自己的实际情况谈谈你的看法。

（90字）

（150字）

# 2 走遍天下

# Travel All Over the World

## 一、朗读并背诵 *Read and recite*

世界 各 国，各 国 人民。
Shìjiè gè guó, gè guó rénmín.

人民 友好，友好 相处。
Rénmín yǒuhǎo, yǒuhǎo xiāngchǔ.

相处 愉快，愉快 学习。
Xiāngchǔ yúkuài, yúkuài xuéxí.

学习 汉语，汉语 好学。
Xuéxí Hànyǔ, Hànyǔ hǎo xué.

学好 汉语，走遍 天下。
Xuéhǎo Hànyǔ, zǒubiàn tiānxià.

兄弟 姐妹，天下 一 家。
Xiōngdì jiěmèi, tiānxià yì jiā.

人 同 此 心，心 同 此 理。
Rén tóng cǐ xīn, xīn tóng cǐ lǐ.

入 乡 随 俗，广 交 朋友。
Rù xiāng suí sú, guǎng jiāo péngyou.

走遍天下 zǒubiàn tiānxià to travel all over the world

世界 shìjiè world

相处 xiāngchǔ to get along with (sb.)

人同此心，心同此理 rén tóng cǐ xīn, xīn tóng cǐ lǐ everyone feels the same way about justice and rationality

入乡随俗 rù xiāng suí sú When in Rome, do as the Romans do.

我们 的 同志 在 困难 的 时候，
Wǒmen de tóngzhì zài kùnnan de shíhou,

要 看到 成绩，要 看到 光明，
yào kàndào chéngjì, yào kàndào guāngmíng,

要 提高 我们 的 勇气。
yào tígāo wǒmen de yǒngqì.

光明 guāngmíng light, brightness

勇气 yǒngqì courage

文化语句 *Cultural Quote*

有志者事竟成

yǒu zhì zhě shì jìng chéng

## 二、实用阅读 *Practical reading*

24 小时自助银行服务

24小时自助银行服务
SELF-SERVICE BANKING

便利店（biànlìdiàn convenience store）

明德超市 24 小时营业 订购（dìnggòu to subscribe, to place an order）电话：62514887

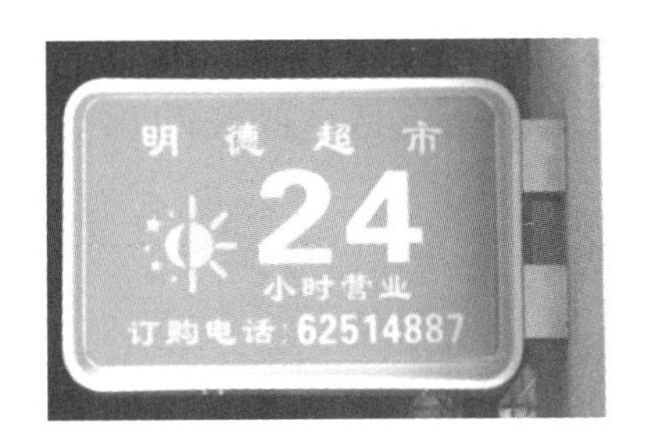


## 三、相关阅读 *Related reading*

“自助”，顾名思义（gù míng sī yì as the name implies），就是自己帮助自己，不用别人帮忙。“自助银行服务”，就是在银行的 ATM 机上，自己存钱、取钱等。我们经常说的还有“自助餐”、“自助餐厅”、“自助游”。这里的“游”当然不是“游泳”，而是“旅游”。你要是不喜欢参加旅游团，就去自助游吧。

我们身边还有一些24小时营业的超市、便利店，一周7天、每天24小时不关门，真的给我们带来了便利。有些还能打他们的订购电话，把东西送到家。

回答问题 Answer the questions.

1. 你用“自助”的方式做过什么？
2. 你见过哪些地方24小时营业？
3. 你“订购”过东西吗？方便吗？

## 四、阅读练习 *Reading exercises*

1. 请参照例句（1），分别为（2）-（6）找出合适的下句

Choose the right responses to Sentences (2)-(6) following the example.

例如：（1）这个字字典里有吗？ （ C ）

（2）小心，这里路不好走，慢点儿开。 （ ）

（3）我的帽子呢，你看见了吗？ （ ）

（4）赶紧把这些废纸扔垃圾箱吧。 （ ）

（5）这花儿好看，我从来没见过这么漂亮的花儿，还挺香。 （ ）

（6）他都说了些什么？ （ ）

A 好的，别害怕。

B 别啊，这些还能再用呢，还有那些空盒子什么的，都有用。

C 那还用问，肯定有。

D 他说了好多，我一句也没记住。

E 那儿呢，墙上挂着呢。

F 喜欢就带回去吧，送给你了。

2. 排序组句，并加上标点 Rearrange and punctuate the following sentences.

例如：A 是真的没时间

B 下次吧，下次我肯定去

C 我不是不愿意去 C，A，B。

（1）A 希望大家从我做起

B 每天少用一个塑料袋

C 为了保护环境 ____________

（2）A 辣椒一个都没吃过

B 我喜欢吃甜的，从来不吃辣的

C 不过今天我想尝一尝 ____________

（3）A 我相信你也会喜欢

B 这种食品既好吃又便宜

C 很多顾客都喜欢 ____________

（4）A 我相信他还能做得更好

B 他很快就适应了这里的环境

C 这是他毕业以后的第一个工作 ____________

（5）A 虽然贵点儿

B 可是买的人还是很多

C 这家的水果新鲜，味道也好 ____________

## 五、读后写作 *Read and write*

“有志者事竟成”是中国人非常喜爱的一个成语。它的意思是“有目标（mùbiāo objective, goal）、有决心、能够坚持的人，最后一定会成功”。这样意思的成语在其他语言里也有，例如英语的“Where there is a will，there is a way”。

这些成语都是鼓励人们要有自己的理想（lǐxiǎng ideal），有自己的目标，还要不断（búduàn continuously, constantly）为自己的理想、为自己的目标作出努力，坚持到最后就能成功。

要求：阅读短文，结合自己的实际情况谈谈你的看法。

（90字）

（150字）

# 3 打开一扇窗户

# Open a Window

## 一、朗读并背诵 *Read and recite*

黄河、　黄山、　黄土地。
Huáng Hé、Huáng Shān、huángtǔdì.

长江、　长城、　长三角。
Cháng Jiāng、Cháng Chéng、Chángsānjiǎo.

中医、　中药、　中国结。
Zhōngyī、zhōngyào、zhōngguójié.

汉语、汉字、汉文化。
Hànyǔ、Hànzì、Hànwénhuà.

学习 外语，了解 文化。
Xuéxí wàiyǔ, liǎojiě wénhuà.

打开 窗户，世界 真 大。
Dǎkāi chuānghu, shìjiè zhēn dà.

学习 一 门 外语，了解 一 种 文化。
Xuéxí yì mén wàiyǔ, liǎojiě yì zhǒng wénhuà.

打开 一 扇 窗户，知道 世界 真 大。
Dǎkāi yí shàn chuānghu, zhīdào shìjiè zhēn dà.

黄山 Huáng Shān
Mountain Huang (a famous mountain in Anhui Province)

黄土地 huángtǔdì
yellow land

长三角 Chángsānjiǎo
The Yangtze River Delta

中医 zhōngyī
traditional Chinese medicine

中国结 zhōngguójié
Chinese knot

扇 shàn
*a measure word for doors, windows, etc.*

世界是你们的，也是我们的，但是，归根结底
Shìjiè shì nǐmen de, yě shì wǒmen de, dànshì, guī gēn jié dǐ

是你们的。你们青年人朝气蓬勃，正在兴旺
shì nǐmen de. Nǐmen qīngniánrén zhāoqì péngbó, zhèngzài xīngwàng

时期，好像早晨八九点钟的太阳，希望寄托
shíqī, hǎoxiàng zǎochen bā-jiǔ diǎnzhōng de tàiyáng, xīwàng jìtuō

在你们身上。
zài nǐmen shēnshang.

归根结底 guī gēn jié dǐ ultimately, in the final analysis
朝气蓬勃 zhāoqì péngbó vigorous and dynamic
兴旺 xīngwàng thriving
寄托 jìtuō to place (hope) on

文化语句 *Cultural Quote*
百闻不如一见
bǎi wén bùrú yí jiàn

## 二、实用阅读 *Practical reading*

中华老字号

北京同仁堂

平价药店

平价药店

名烟名酒专营
（zhuānyíng to specialize in a certain business）

名烟名酒专营

## 三、相关阅读 *Related reading*

“中华老字号”指的是那些既有很好的产品（chǎnpǐn product）和服务，又有很长历史的老店，它们都具有中国传统（chuántǒng tradition; traditional）文

化特色（tèsè characteristic），在社会上很受（shòu to receive）欢迎。例如：北京同仁堂药店，就是一家1669年建立（jiànlì to set up, to establish）的很有名的老字号。

“平价”的意思是普通的价格（jiàgé price）、公平（gōngpíng fair, just）的价格，平价药店也很受欢迎。

“名烟名酒”，顾名思义，就是有名的烟、有名的酒，“名烟名酒专营”就是专门（zhuānmén specialized）卖名烟名酒的店。

根据阅读内容选择　Choose the right answers according to what you have read.

1. 什么是老字号？

A 东西便宜的店　B 一家商店的名字　C 有历史、有传统的店

2. 平价药店为什么受欢迎？

A 产品好　B 有传统　C 价格公平

3. “名酒”是什么意思？

A 有名的酒　B 好喝的酒　C 大家喜欢的酒

## 四、阅读练习　*Reading exercises*

1. 请参照例句（1），分别为（2）-（6）找出合适的下句

Choose the right responses to Sentences (2)-(6) following the example.

例如：（1）这个字字典里有吗？（ C ）

（2）你的茶真好喝，在哪儿买的？（　）

（3）那家店的衣服也不错，可以有更多的选择。（　）

（4）你不能这样做，这样做你会后悔的。（　）

（5）这两年唐装很流行，你也买一件吧。（　）

（6）那个城市不但学校的学费贵，生活费也贵。（　）

A 就是门口那家老字号，那里的东西不但质量（zhìliàng quality）好，价格还公平。

B 所以我就到这个城市来了，也因此咱们俩就认识了。

C 那还用问，肯定有。

D 我才不会后悔呢。

E 我已经买了，我觉得很有中国特色。

F 那我们就去那家服装店吧。

2. 选词填空 Choose the right words to fill in the blanks.

道理　　缘分　　都　　从来　　特

（1）A：你今天晚上有约会吧，是不是该走了？

B：呀，真的，我（　　）忘了。

（2）A：爸，您这么做没（　　），您也应该听听我是怎么想的。

B：我不听，我是你爸，你就得听我的。

（3）A：这家老字号有多少年历史了？

B：100 多年，其实这家店历史不是最长的，可是价格公平，产品好，所以（　　）受欢迎。

（4）A：你是从德国来的，我是从韩国来的，现在我们在中国认识了。

B：是啊，这就是中国人说的（　　）吧。

（5）A：这饺子是我包的，你尝尝。

B：真好吃，我（　　）没吃过这么好吃的饺子。

## 五、读后写作 *Read and write*

中国人非常喜欢“百闻不如（bùrú not as good as）一见”这个成语，成语中的“闻”是“听、听见”的意思。顾名思义，“百闻不如一见”就是听别人说了一百次，也不如自己亲眼看一看好。

生活的经验告诉我们，要了解真实情况，就应该用自己的眼睛去看，用自己的脑子去想。我们亲眼看到的东西才是最真实的东西，我们亲眼看到了东西，才会有最真实的感受。

要求：阅读短文，结合自己的生活经验谈谈你对“百闻不如一见”的看法。

（90字）

（150字）

# 对什么都感兴趣

# Be Interested in Everything

## 一、朗读并背诵 *Read and recite*

有 兴趣，没 兴趣，有 没有 兴趣？
Yǒu xìngqù, méi xìngqù, yǒu méiyǒu xìngqù?

感 兴趣，不 感 兴趣，感 不 感 兴趣？
Gǎn xìngqù, bù gǎn xìngqù, gǎn bù gǎn xìngqù?

对 麻将 很 有 兴趣，对 书法 很 感 兴趣。
Duì májiàng hěn yǒu xìngqù, duì shūfǎ hěn gǎn xìngqù.

你 对 什么 有 兴趣？我 对 足球 有 兴趣。
Nǐ duì shénme yǒu xìngqù? Wǒ duì zúqiú yǒu xìngqù.

他 对 什么 感 兴趣？他 对 网球 感 兴趣。
Tā duì shénme gǎn xìngqù? Tā duì wǎngqiú gǎn xìngqù.

对 什么 都 感 兴趣，对 什么 都 不 感 兴趣。
Duì shénme dōu gǎn xìngqù, duì shénme dōu bù gǎn xìngqù.

对 什么 都 有 兴趣，对 什么 都 没有 兴趣。
Duì shénme dōu yǒu xìngqù, duì shénme dōu méiyǒu xìngqù.

一 上课 就 睡觉，睡上 觉 就 说 梦话。
Yí shàngkè jiù shuìjiào, shuìshang jiào jiù shuō mènghuà.

一 见面 就 吵架，吵起 架 就 说 胡话。
Yí jiànmiàn jiù chǎojià, chǎoqǐ jià jiù shuō húhuà.

麻将 májiàng mahjong
书法 shūfǎ calligraphy
网球 wǎngqiú tennis
梦话 mènghuà words uttered in one's sleep
吵架 chǎojià to quarrel, to fight
胡话 húhuà ravings

一 上网 就 聊天儿，聊起 天儿 就 没 个 完。
Yí shàngwǎng jiù liáotiānr, liáoqǐ tiānr jiù méi ge wán.

一 比赛 就 输 球，输了 球 就 找 借口。
Yì bǐsài jiù shū qiú, shūle qiú jiù zhǎo jièkǒu.

聊天儿 liáotiānr to chat
比赛 bǐsài match, race, contest
借口 jièkǒu excuse

文化语句 *Cultural Quote*
少壮 不努力，老大徒伤悲。
Shàozhuàng bù nǔlì, lǎodà tú shāngbēi.

## 二、实用阅读 *Practical reading*

减速（jiǎnsù to decelerate, to slow down）慢行（màn xíng to go slow）
出入平安（píng'ān safe and sound）

珍惜（zhēnxī to cherish, to treasure）生命（shēngmìng life）
从遵守（zūnshǒu to observe, to abide by）交通规则（guīzé regulation, rule）开始

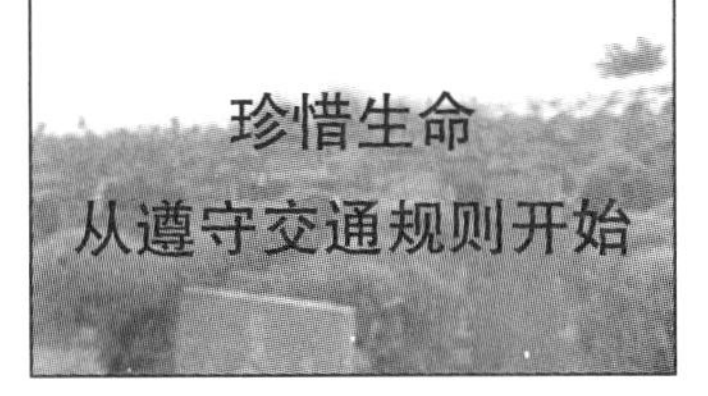

请勿（wù not (to do)）酒后驾车（jià chē to drive）

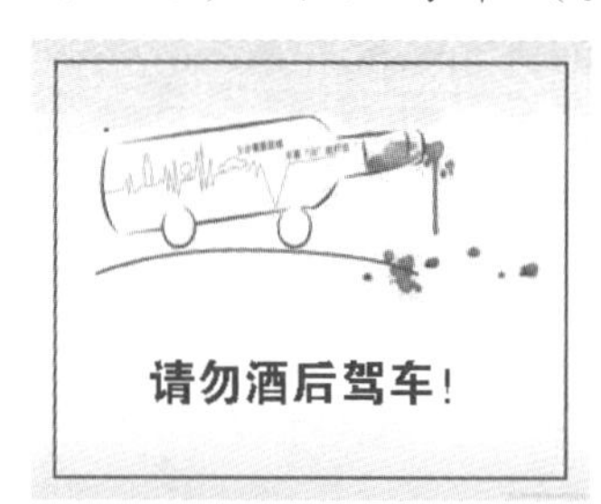


## 三、相关阅读 *Related reading*

你见过"减速慢行，出入平安"这样的话吗？你是在什么地方见到的？对，一定是在车辆出入的地方。这是在告诉司机（sījī driver），不要开快车，在哪里平安都是最重要的。

生命是宝贵（bǎoguì valuable, precious）的，每一个人都只有一次，因此我们要珍惜生命、珍爱生命，开车、走路都要遵守交通规则。但是，我们身边每天都有不遵守交通规则的事情发生。比如，有些司机开车太快，有些走路的人不遵守交通规则。司机酒后开车就更危险（wēixiǎn dangerous）了，那就是不尊重生命，也是在和生命开玩笑。

根据阅读内容选择 Choose the right answers according to what you have read.

1. "减速慢行，出入平安"是什么意思？

   A 别开快车　　B 祝你平安　　C 车太慢了

2. 下面哪项没有遵守交通规则？

   A 开车减速　　B 酒后开车　　C 晚上开车

## 四、阅读练习 *Reading exercises*

1. 请参照例句（1），分别为（2）－（6）找出合适的下句

   Choose the right responses to Sentences (2)-(6) following the example.

例如：（1）认识这个字吗？　　（ C ）

（2）最近，到中国来发展的公司好像多了不少。 （　　）

（3）你还说他不会汉语呢，他的汉语说得既清楚又流利。（　　）

（4）这个衣柜重得不得了，搬的时候一定要小心。 （　　）

（5）我对那里的一切都不了解，怎么办？ （　　）

（6）这几个菜又好看又好吃。 （　　）

A 是的，他们是看中了中国这个大市场。

B 好，知道了，放心吧。

C 那还用说，当然认识。

D 真可惜，我不能吃辣的，只能看着你们吃了。

E 我也没想到他汉语进步这么快，真让人吃惊。

F 什么也不用怕，会有人帮你的。

2. 选词填空 Choose the right words to fill in the blanks

打不开　　越……越……　　健康　　不懂　　改

（1）A：你写的是什么呀，我越看越（　　）。

B：你再认真看一遍，没有那么难。

（2）A：我挺喜欢跟老王聊天儿的。

B：是，他说话有意思，有些话还（　　）想（　　）有道理。

（3）A：这个字好像错了吧？

B：真的错了，你帮我（　　）了吧。

（4）A：他的电脑（　　），他急得不得了。

B：那赶快找人修一下吧。

（5）A：每天站着吃饭，你不是在开玩笑吧？

B：我是听一个老人说的，他说这样身体更（　　）。

## 五、读后写作 *Read and write*

大周：

你爸妈联系不上你，让我转告你：因为下大雨，飞机没能准时起飞，现在他们还在机场等候，什么时候起飞，还不知道。等有了消息，他们会再和你联系。所以明早8点你先不要去机场接他们了，什么时候接机等他们电话。

我去朋友家了，今晚不回来。

明天见！

你的同屋　林海

10月10日

要求：1. 阅读上面林海给大周的留言信，体会其中的表述方式。

2. 阅读下面的对话，给你的同屋汉特写一封留言信。

张晓：您好。

大中：您好，您是哪位？

张晓：我是汉特的朋友，我叫张晓，请问汉特在吗？

大中：他和朋友一起出去了，可能回来比较晚，您有事吗？我可以转告。

张晓：噢。我原来和他约好，明天请他去我的老家玩儿。可是我妈刚刚来电话，我爸突然病了，现在还在医院，我也得赶快回去。非常抱歉，请他去我家玩儿的事只好以后再说了。

大中：您放心，我一定转告他。

张晓：请您告诉他，等我爸好了以后，我再和他约时间。

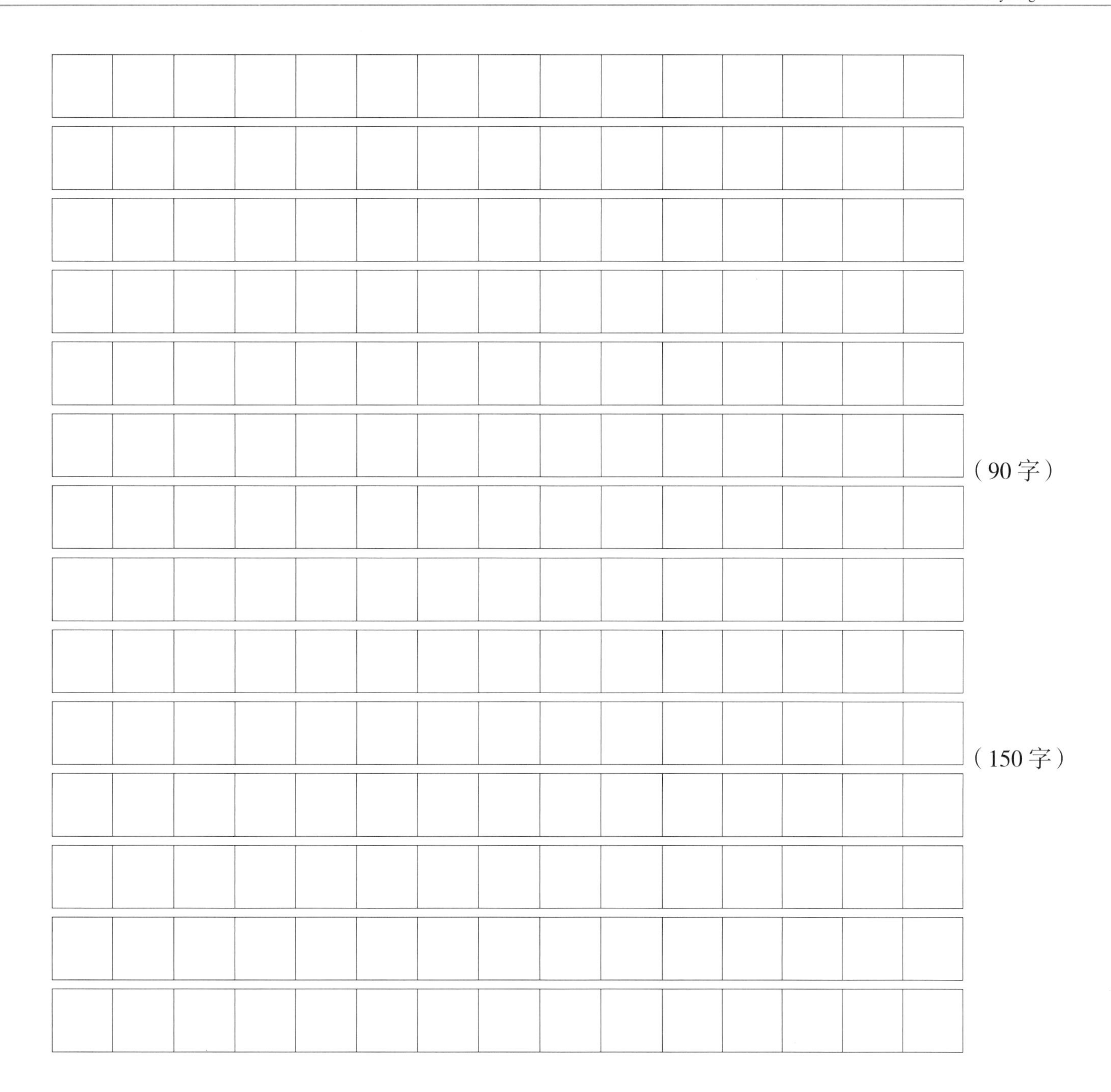
（90字）
（150字）

# 5 黄河九十九道弯

# The Meandering Yellow River

## 一、朗读并背诵 *Read and recite*

长江 长，黄河 黄。
Cháng Jiāng cháng, Huáng Hé huáng.

黄河 没有 长江 长，
Huáng Hé méiyǒu Cháng Jiāng cháng,

长江 没有 黄河 黄。
Cháng Jiāng méiyǒu Huáng Hé huáng.

黄河 黄，黄河 宽，
Huáng Hé huáng, Huáng Hé kuān,

黄河 共 有 九十九 道 弯。
Huáng Hé gòng yǒu jiǔshíjiǔ dào wān.

长江 长，长江 宽，
Cháng Jiāng cháng, Cháng Jiāng kuān,

长江 没有 那么 多 弯。
Cháng Jiāng méiyǒu nàme duō wān.

宽 kuān wide, broad
弯 wān bend, curve
尾 wěi end
从未 cóng wèi never (have done sth.)
家乡 jiāxiāng hometown

小王 住在 长江 头，小李 住在 长江 尾，
Xiǎo Wáng zhùzài Cháng Jiāng tóu, Xiǎo Lǐ zhùzài Cháng Jiāng wěi,

从 未 见过 面，同 喝 一 江 水。
cóng wèi jiànguo miàn, tóng hē yì jiāng shuǐ.

有 山 有 水 风景 好，他们 的 家乡 实在 美。
Yǒu shān yǒu shuǐ fēngjǐng hǎo, tāmen de jiāxiāng shízài měi.

老刘 住在 黄河 南，老张 住在 黄河 北，
Lǎo Liú zhùzài Huáng Hé nán, Lǎo Zhāng zhùzài Huáng Hé běi,

经常 能 见面，不喝 黄河 水。
jīngcháng néng jiànmiàn, bù hē Huáng Hé shuǐ.

他们 的 家乡 不 算 美，
Tāmen de jiāxiāng bú suàn měi,

低矮 的 房屋，难喝 的 井水。
dī'ǎi de fángwū, nán hē de jǐngshuǐ.

保护 母亲河，保护 长江 水。
Bǎohù mǔqīnhé, bǎohù Cháng Jiāng shuǐ.

保护 大自然，保护 地球村。
Bǎohù dàzìrán, bǎohù dìqiúcūn.

让 天空 更 蓝，让 河水 更 清。
Ràng tiānkōng gèng lán, ràng héshuǐ gèng qīng.

让 环境 更 美，让 生活 更 好。
Ràng huánjìng gèng měi, ràng shēnghuó gèng hǎo.

算 suàn to regard as, to count as

井水 jǐngshuǐ well water

大自然 dàzìrán Mother Nature

地球村 dìqiúcūn global village

环境 huánjìng environment

**文化语句 *Cultural Quote***

不识庐山 真 面目，只 缘 身 在 此 山 中。
Bù shí Lú Shān zhēn miànmù, zhǐ yuán shēn zài cǐ shān zhōng.

## 二、实用阅读 *Practical reading*

文明（wénmíng civilization）你我他 和谐（héxié harmony）千万家

依法（yīfǎ to adide by the law）诚信（chéngxìn integrity, honesty）纳税（nàshuì to pay taxes）

共建小康社会（xiǎokāng shèhuì well-off society）

## 三、相关阅读 *Related reading*

标语（biāoyǔ slogan）是中国的一个特色。在城市、在农村，走到哪儿，都能看到标语。过去是这样，今天还是这样。但是，中国是变化的，标语当然也在变。

30 多年前，中国到处都是自行车，汽车少，开得太快，骑车人和行人都很危险，“一慢二看三通过”是当时（dāngshí at that time）最流行（liúxíng popular）的标语，它告诉司机：车开慢点儿，看好路，真的没有自行车、没有行人了，你再走。“高高兴兴上班来，平平安安回家去”是前些年最受欢迎的一条标语，让人过目难忘（guòmù nán wàng unforgettable）。

中国改革开放（gǎigé kāifàng reform and opening-up）后，西方思想不断影响中国。广东最先出现了“时间就是金钱，效率（xiàolǜ efficiency）就是生命”这样的标语，在当时产生了极大的影响。有人说这是中国改革开放 30 年，最有名、对中国人影响最大的一条标语。

连线，把内容相近的标语连在一起 Match the slogans with similar meanings.

| | |
|---|---|
| 节约用水就是珍惜生命 | 从我做起，拒绝酒驾 |
| 齐心合力，共创和谐社会 | 珍惜水资源，保护水环境 |
| 拒绝酒后驾车 | 交通安全进万家，出入平安你我他 |
| 关爱生命，平安出行 | 爱护我们的地球，从点点滴滴做起 |
| 地球是我家，环保靠大家 | 创建平安家庭，构建和谐社会 |

## 四、阅读练习 *Reading exercises*

1. 请参照例句（1），分别为（2）-（6）找出合适的下句

Choose the right responses to Sentences (2)-(6) following the example.

例如：（1）认识这个字吗？ （ C ）

（2）听说那个电影不错，我们明天去电影院看看。 （ ）

（3）一到这个季节，公园里的花儿就开了。 （ ）

（4）能帮忙把这几个句子翻译一下吗？ （ ）

（5）我想不起来我把地图放哪儿了，你还记得吗？ （ ）

（6）学完这本书，你还继续学吗？ （ ）

A 你开玩笑吧，这么难的句子我可翻译不了。

B 好好儿找找，肯定丢不了。

C 那还用说，当然认识。

D 当然，我觉得很有意思，我还会继续学下去。

E 是啊，天气也慢慢热起来了。

F 去什么电影院啊，在网上就能看。

2. 判断正误 Determine whether the following statements are right ( √ ) or wrong ( × ).

（1）刚才是我表演的，现在轮到你了。

从这句话我们知道：现在该你表演了。 （ ）

（2）这里太美了，我想一辈子都住在这儿，哪儿也不去。

从这句话我们知道：这里美得不得了。 （ ）

（3）我们两个人吃不了这么多，少买点儿就好了。

从这句话我们知道：不能买太少了。 （ ）

（4）他旅行时，每到一个地方都会给父母寄一张明信片。

从这句话我们知道：他的父母都喜欢明信片。 （ ）

（5）学习外语，了解外国文化，可以让我们更好地认识世界。

从这句话我们知道：我们都会一门外语。（ ）

## 五、读后写作 *Read and write*

文华：

你好！

今天晚上我们班有个party，我负责买水果，可是我下午有点儿急事，没时间去商店，麻烦你去帮我买一点儿，谢谢。

参加晚会的有15个人左右，买什么水果你决定，不过一定要多买点儿葡萄，因为喜欢吃葡萄的人多。钱先用你的吧，晚上回来还你。

为了感谢你的帮助，这个周末，我负责打扫卫生，再给你做一顿日本饭，怎么样？☺

谢谢你的帮助。

真由子

10月30日

要求：阅读上面的留言条，给你的朋友写个留言条，内容自己决定。

（90字）

（150 字）

（240 字）

# 6 一时半会儿改不了

# Change Takes Time

## 一、朗读并背诵 *Read and recite*

我从英国来，带来英国话。
Wǒ cóng Yīngguó lái, dàilái Yīngguóhuà.

见到中国人，得说中国话。
Jiàndào Zhōngguórén, děi shuō Zhōngguóhuà.

我从外国来，不会中国话。
Wǒ cóng wàiguó lái, bú huì Zhōngguóhuà.

跟着中国人，学说普通话。
Gēnzhe Zhōngguórén, xué shuō pǔtōnghuà.

英国话，威力大，走遍天下都不怕。
Yīngguóhuà, wēilì dà, zǒubiàn tiānxià dōu bú pà.

普通话，作用大，走遍中国不用怕。
Pǔtōnghuà, zuòyòng dà, zǒubiàn Zhōngguó búyòng pà.

上海话，范围小，出了上海用不了。
Shànghǎihuà, fànwéi xiǎo, chūle Shànghǎi yòng bu liǎo.

东北话，范围大，东北三省装不下。
Dōngběihuà, fànwéi dà, Dōngběi sān shěng zhuāng bu xià.

中国大，历史长；历史长，习俗多。
Zhōngguó dà, lìshǐ cháng; lìshǐ cháng, xísú duō.

讲关系，找关系，有了关系好办事。
Jiǎng guānxi, zhǎo guānxi, yǒule guānxi hǎo bànshì.

普通话 pǔtōnghuà Mandarin

威力 wēilì (formidable) power, force

作用 zuòyòng function

范围 fànwéi range, scope

装不下 zhuāng bu xià not big enough to hold

习俗 xísú custom

讲 jiǎng to stress, to be particular about

关系 guānxi relationship

办事 bànshì to handle or run affairs, to work

讲 交情，论交情，有了交情 好 办事。
Jiǎng jiāoqing, lùn jiāoqing, yǒule jiāoqing hǎo bànshì.

讲 面子，给 面子，有了 面子 好 办事。
Jiǎng miànzi, gěi miànzi, yǒule miànzi hǎo bànshì.

所谓 关系 很 微妙，
Suǒwèi guānxi hěn wēimiào,

中国人 说不清，外国人 不 知道。
Zhōngguórén shuō bu qīng, wàiguórén bù zhīdào.

关系 跟 交情 比，交情 更 重要。
Guānxi gēn jiāoqing bǐ, jiāoqing gèng zhòngyào.

交情 跟 面子比，面子 更 重要。
Jiāoqing gēn miànzi bǐ, miànzi gèng zhòngyào.

这些 习俗 不 算 好，可 一 时 半 会儿 改 不 了。
Zhèxiē xísú bú suàn hǎo, kě yì shí bàn huìr gǎi bu liǎo.

交情 jiāoqing friendship

面子 miànzi reputation, face

所谓 suǒwèi so-called

微妙 wēimiào subtle, delicate

一时半会儿 yì shí bàn huìr in a short while

**文化语句 *Cultural Quote***

长江 后浪 推 前浪，一代 更 比 一代 强。
Cháng Jiāng hòulàng tuī qiánlàng, yí dài gèng bǐ yí dài qiáng.

## 二、实用阅读 *Practical reading*

颐和园（Yíhé Yuán Summer Palace）

## 三、相关阅读 *Related reading*

很多中国古代（gǔdài ancient times）建筑（jiànzhù building, architecture）的大门上都挂着一块木牌（mùpái wooden board），木牌上有字，这木牌就是匾额（biǎn'é plaque）。匾额是古建筑的一部分，就像是这建筑的眼睛。

当你来到故宫（Gù Gōng the Imperial Palace）、颐和园，当你走在不同的城市，当你看到一处古老、美丽的建筑，一定会看到建筑上漂亮的匾额，比如故宫的每一处宫殿（gōngdiàn palace）。

我们不但能在很多古代建筑上看到匾额，还能看到很多老字号的店名匾额，比如“全聚德”（烤鸭店 kǎoyādiàn roast duck restaurant）、“同仁堂”（药店 yàodiàn drugstore）、“张一元”（茶叶店 cháyèdiàn tea shop）等。这些匾额常常都是很珍贵（zhēnguì precious）的书法作品，很有中国文化特色。

因为中国古代写字是从右往左写的，很多古代建筑上的匾额都是从右往左念，只有一些后写的匾额，字是从左往右看的，如“北京同仁堂”。

读一读下面匾额上写的是什么，请你写下来

Please read and write down the characters on the plaques.

______________

______________

______________

______________

## 四、阅读练习 *Reading exercises*

1. 判断正误 Determine whether the following statements are right ( √ ) or wrong ( × ).

（1）弟弟又长高了，现在比爸爸还高一点儿。
从这句话我们知道：现在，爸爸没有弟弟高。 (　　)

（2）报纸上的消息不如网络上的消息快。
从这句话我们知道：网络上的消息更快。 (　　)

（3）刚刚李明打电话找你，让你给他回电话，这是他的手机号。
从这句话我们知道：李明给你回电话了。 (　　)

（4）他很容易被感动，看电影、看书都会流眼泪。
从这句话我们知道：他一看电影就哭。 (　　)

（5）表演结束了，音乐厅里响起了热烈的掌声。
从这句话我们知道：表演很受欢迎。 (　　)

（6）我们马上就要和这个城市告别了，买吃的不如买一些纪念品。
从这句话我们知道：我们很快就会离开这个城市。 (　　)

2. 排序组句，并加上标点 Rearrange and punctuate the following sentences.

例如：A 是真的没时间
B 下次吧，下次我肯定去
C 我不是不愿意去 C，A，B。

（1）A 所以他的知识特别丰富
B 特别是各类杂志，没有他不看的
C 他喜欢读书，也喜欢看报 ____________

（2）A 我以前没有照顾别人的习惯
B 是我的朋友改变了我
C 遇到事情就想自己 ____________

（3）A 那太没意思了

B 不想用花儿表达爱情

C 我得跟别人不一样 ________

（4）A 一下子就是五年

B 这五年当中我没有一天不想念他们

C 那个秋天告别了父母 ________

（5）A 他给我的礼物太特殊了

B 那时我们还是中学生

C 那是一张30年前的照片 ________

## 五、读后写作 *Read and write*

各位同学好：

本人周四在教学三楼1018教室上课，下课时把电子词典忘在教室里了。电子词典是XX牌，深灰色，浅蓝色皮套（pítào leather sheath）。

我是一名留学生，刚刚开始学习汉语，电子词典对我很重要，没有它我什么书也看不了，什么作业也做不了。哪位同学捡到了我的词典，请一定和我联系。非常感谢！

我的手机号码是：18911375283

马可

11月23日

要求：阅读上面的寻物启事，并模仿写一则寻物启事。

| | | | | | | | | | | | | | | |
|---|---|---|---|---|---|---|---|---|---|---|---|---|---|---|
| | | | | | | | | | | | | | | |

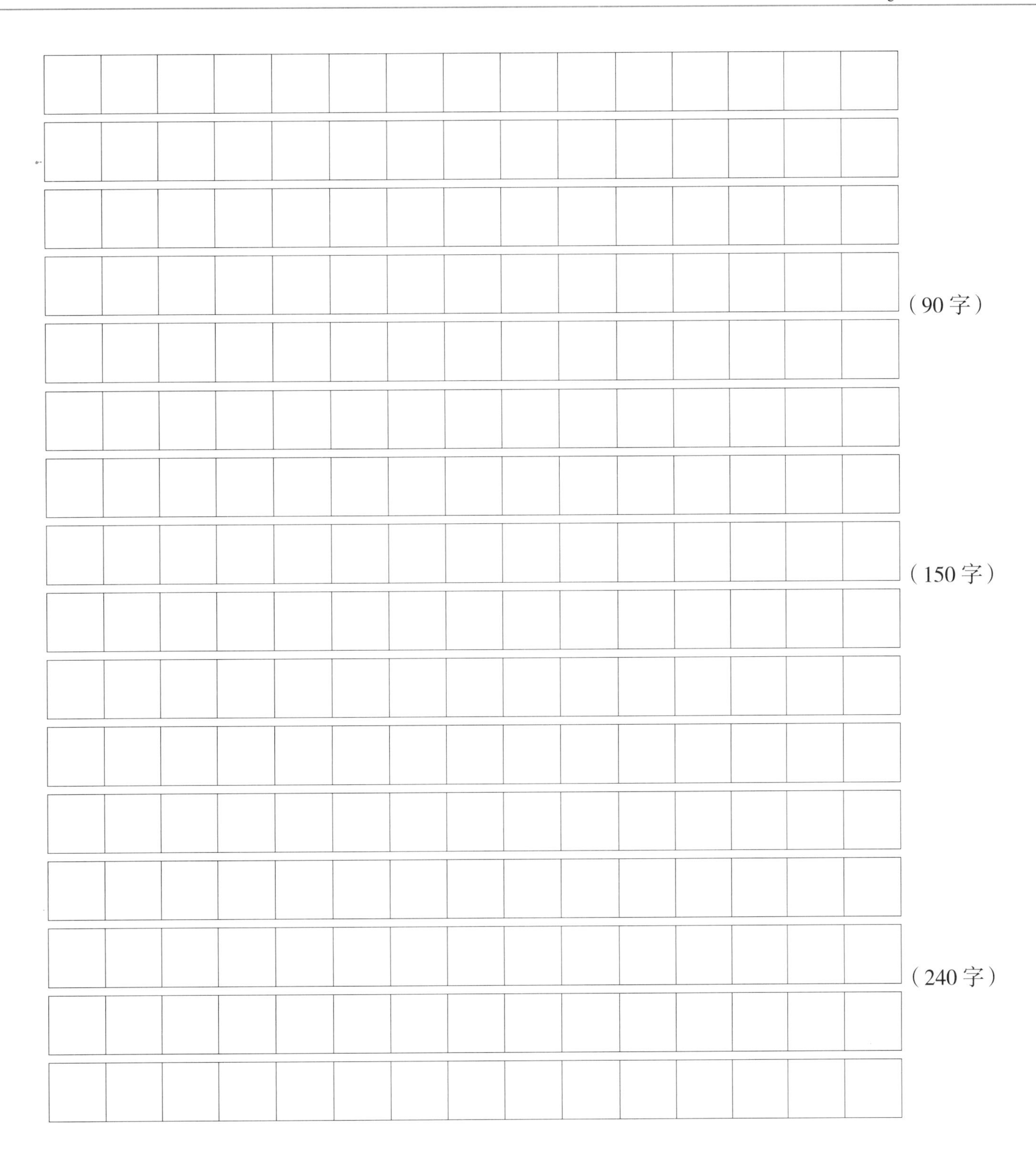
（90字）
（150字）
（240字）

# 7 谁偷走了我的日子

# Who Stole My Time

## 一、朗读并背诵 *Read and recite*

把 桌子 擦擦，把 杯子 洗洗。
Bǎ zhuōzi cāca, bǎ bēizi xǐxi.

把 桌子 擦一擦，把 杯子 洗一洗。
Bǎ zhuōzi cā yì cā, bǎ bēizi xǐ yì xǐ.

把 桌子 擦 干净，把 杯子 洗 干净。
Bǎ zhuōzi cā gānjìng, bǎ bēizi xǐ gānjìng.

我 把 桌子 擦 了，他 把 杯子 洗 了。
Wǒ bǎ zhuōzi cā le, tā bǎ bēizi xǐ le.

我 把 桌子 擦了擦，他 把 杯子 洗了 洗。
Wǒ bǎ zhuōzi cāle cā, tā bǎ bēizi xǐle xǐ.

我 把 桌子 擦 干净 了，他 把 杯子 洗 干净 了。
Wǒ bǎ zhuōzi cā gānjìng le, tā bǎ bēizi xǐ gānjìng le.

把 杯子 放在 桌子 上，把 茶叶 放到 杯子 里。
Bǎ bēizi fàngzài zhuōzi shang, bǎ cháyè fàngdào bēizi li.

把 开水 倒进 杯子 里，把 茶水 泡好 送给 你。
Bǎ kāishuǐ dàojìn bēizi li, bǎ cháshuǐ pàohǎo sònggěi nǐ.

把 茶水 喝到 肚子 里，把 杯子 放回 厨房 里。
Bǎ cháshuǐ hēdào dùzi li, bǎ bēizi fànghuí chúfáng li.

桌子 脏 了，可以 擦；茶叶 没 了，可以 买。
Zhuōzi zāng le, kěyǐ cā; cháyè méi le, kěyǐ mǎi.

春天 去 了，还 会 来；花儿 谢 了，会 再 开。
Chūntiān qù le, hái huì lái; huā'ér xiè le, huì zài kāi.

偷 tōu to steal

日子 rìzi days, time

擦 cā to wipe, to clean

干净 gānjìng clean

倒进 dàojìn to pour into

泡 pào to make (tea)

肚子 dùzi stomach, belly

厨房 chúfáng kitchen

（花儿）谢 xiè (of a flower) to fall, to fade

（花儿）开 kāi (of a flower) to blossom

但是，朋友，你告诉我，
Dànshì, péngyou, nǐ gàosu wǒ,

我们的日子怎么一去不回来？
wǒmen de rìzi zěnme yí qù bù huílai?

是有人偷走了它们吧？那是谁？
Shì yǒu rén tōuzǒule tāmen ba? Nà shì shéi?

是它们自己逃走了吧？那它们现在又在哪里？
Shì tāmen zìjǐ táozǒule ba? Nà tāmen xiànzài yòu zài nǎli?

逃走 táozǒu
to run away

**文化语句 *Cultural Quote***

一年之计在于春，一日之计在于晨，一生之计在于勤。
Yì nián zhī jì zàiyú chūn, yí rì zhī jì zàiyú chén, yì shēng zhī jì zàiyú qín.

## 二、实用阅读 *Practical reading*

正大光明

## 三、相关阅读 *Related reading*

“正大光明”也可以说“光明正大”，意思是做人做事心中坦白（tǎnbái frank, honest）、正直（zhèngzhí upright）无私（wúsī selfless），是汉语的常用成语。图片上的正大光明匾额就挂在故宫乾清宫（Qiánqīng Gōng the Palace of Heavenly Purity）里，是清代皇帝（huángdì emperor）亲笔题写的。

故宫里的乾清宫是个重要的地方，皇帝在这里读书、学习、看文件、处理（chǔlǐ to handle, to deal with）日常政务（zhèngwù government affairs）、接见外国客人，重要的典礼（diǎnlǐ ceremony）和家庭宴会也在这里举行。

皇帝把“正大光明”匾额挂在乾清宫里，可能是希望从皇帝到大臣到百姓，做人做事都能坦白、正直、无私吧。

回答问题 Answer the questions.

1. 乾清宫是一个什么样的地方？

2. 你还知道什么汉语成语？说一说它们的意思。

## 四、阅读练习 *Reading exercises*

1. 判断正误 Determine whether the following statements are right ( √ ) or wrong ( × ).

（1）他喜欢旅行，已经走遍了亚洲和欧洲的许多国家。

从这句话我们知道：他就要出发去欧洲旅行了。 （ ）

（2）你们朗读和背诵汉语的能力越来越强。

从这句话我们知道：学生不喜欢朗读和背诵。 （ ）

（3）我已经试了各种各样的办法，可是都不成功。

从这句话我们知道：很多办法我都用了，还是不行。 （ ）

（4）想减肥可不容易，你这样挺好，别减了。

从这句话我们知道：你现在并不胖。 （ ）

（5）有要求就告诉我们，我们一定满足大家的要求。

从这句话我们知道：让大家都满足，很不容易。 （ ）

（6）这个工作很辛苦，很多人都受不了，不干了。

从这句话我们知道：很多人怕苦，不干这个工作了。 （ ）

2. 排序组句，并加上标点 Rearrange and punctuate the following sentences.

例如：A 是真的没时间

B 下次吧，下次我肯定去

C 我不是不愿意去 C，A，B。

（1）A 这些数字都表示不同的意思

B 今天我就给大家一个一个地讲

C 不少汉语成语中有数字 ________

（2）A 从前觉得很轻松

B 现在又工作又学习

C 天天觉得时间不够用 ________

（3）A 电冰箱、洗衣机、电脑，什么都不缺

B 马上又要买汽车了

C 这几年我们家的日子一年比一年好 ________

（4）A 邻居家有一个美丽善良的女孩儿

B 记得小时候

C 可惜我已经很久没有她的消息了 ________

（5）A 不再打印了

B 我建议咱们也少用一点儿纸

C 以后公司的文件都发电子版的 ________

## 五、读后写作 *Read and write*

| 发件人 | womenban @126.com |
| --- | --- |
| 收件人 | guanhua@sina. com; ding466@163.com; emily@sohu.com; …… |
| 主题 | 秋游 |

大家好：

上了半个学期的课，大家都有点儿累了吧。昨天看天气预报，说周五夜里有中雪。我们两位班长研究决定，这个周末我们班一起去郊游，赏南山雪景。

具体活动安排：

周六早上 9:00 在学生宿舍门口集合，坐 467 路公共汽车到南山。大约中午 12 点回到学校。

欢迎大家对本次活动的内容、时间安排等提出自己的建议，可以给我们写邮件，也可以发短信。

班长

12 月 10 日

阅读上面的邮件，并给班长回邮件，提出下面的一些建议：

（1）集合时间太晚，夜里下雪的话，还是早去好，晚了雪就被游人踩得不好看了；

（2）三个小时游玩时间太短，建议中午在南山野餐，男生带主食和饮料，女生带水果和零食；

（3）……

（90 字）

（150 字）

（240 字）

# 发展才是硬道理

# Development Is the Top Priority

## 一、朗读并背诵 *Read and recite*

中国 大，人口多，人口多了问题多。
Zhōngguó dà, rénkǒu duō, rénkǒu duō le wèntí duō.

上学 难，升学 难；毕了业，就业 难。
Shàngxué nán, shēngxué nán; bìle yè, jiùyè nán.

结了婚，住房 难；生了 病，看病 难。
Jiéle hūn, zhùfáng nán; shēngle bìng, kànbìng nán.

因为 什么 都 挺 难，中国 必须 再 发展。
Yīnwèi shénme dōu tǐng nán, Zhōngguó bìxū zài fāzhǎn.

人口 增加 慢 一点儿，腐败 现象 少 一点儿。
Rénkǒu zēngjiā màn yìdiǎnr, fǔbài xiànxiàng shǎo yìdiǎnr.

资源 分配 均衡 点儿，日子 才 能 好 一点儿。
Zīyuán fēnpèi jūnhéng diǎnr, rìzi cái néng hǎo yìdiǎnr.

经济 文化 要 发展，教育 科技 要 发展。
Jīngjì wénhuà yào fāzhǎn, jiàoyù kējì yào fāzhǎn.

发展 才 是 硬 道理，归 根 结 底 靠 发展。
Fāzhǎn cái shì yìng dàolǐ, guī gēn jié dǐ kào fāzhǎn.

千 军 万 马 大 发展，发展 还 要 快 一点儿。
Qiān jūn wàn mǎ dà fāzhǎn, fāzhǎn hái yào kuài yìdiǎnr.

千 方 百 计 要 发展，发展 也 要 均衡 点儿。
Qiān fāng bǎi jì yào fāzhǎn, fāzhǎn yě yào jūnhéng diǎnr.

硬道理 yìng dàolǐ top priority, absolute principle

升学 shēngxué to go to a school of a higher grade

就业 jiùyè to find employment

腐败 fǔbài corruption

资源 zīyuán resource

分配 fēnpèi distribution, allocation

均衡 jūnhéng balanced

科技 kējì science and technology

靠 kào to rely on, to depend on

千军万马 qiān jūn wàn mǎ thousands upon thousands of soldiers and horses

千方百计 qiān fāng bǎi jì to make every endeavor

千奇百怪问题多，发展还得和谐点儿。
Qiān qí bǎi guài wèntí duō, fāzhǎn hái děi héxié diǎnr.

千里之行始足下，发展还得踏实点儿。
Qiān lǐ zhī xíng shǐ zú xià, fāzhǎn hái děi tāshi diǎnr.

文化语句 *Cultural Quote*
天时不如地利，地利不如人和。
Tiān shí bùrú dì lì, dì lì bùrú rén hé.

千奇百怪 qiān qí bǎi guài extremely strange
千里之行始（于）足下 qiān lǐ zhī xíng shǐ (yú) zú xià a journey of a thousand miles begins with a single step, he who would climb the ladder must begin at the bottom
踏实 tāshi steady and sure

## 二、实用阅读 *Practical reading*

人民日报

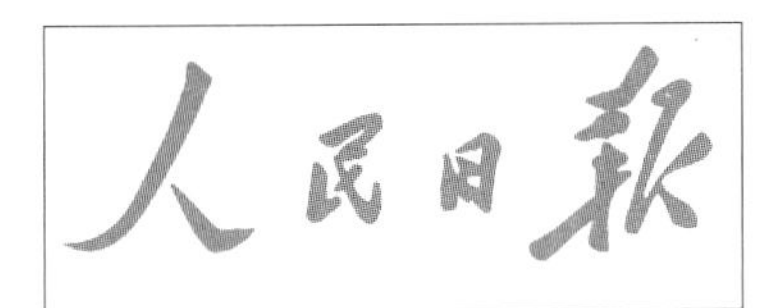


为人民服务

现在努力学习 将来（jiānglái future）努力工作

## 三、相关阅读 *Related reading*

在生活中，我们看到最多的名人书法，就是毛泽东题写的“人民日报”。《人民日报》是中国发行量（fāxíngliàng circulation, amount of distribution）最大的报纸。60多年来，毛泽东写的“人民日报”这几个字和这份报纸一起，每天都能跟中国人见面。

人们把毛泽东的书法叫"毛体（tǐ style）"。书法作品被尊（zūn to respect, to esteem）为一"体"，并不容易。中国历史上书法家很多，包括题写"颐和园"三个字的人，他们的书法都不一定能成为一体。那么，毛泽东的书法有什么特点呢？

毛泽东从小就对中国传统书法艺术（yìshù art）很有兴趣。直到老年，他还说"字要写得好，就要起得早"。他认为要想写好字，先要学习好的书法，后要敢于创新（chuàngxīn to be innovative）。毛泽东的独特（dútè unique, special）风格（fēnggé style）就是这样形成（xíngchéng to take shape）的。

除了"人民日报"，我们还可以看到毛泽东题写的"为人民服务"、"现在努力学习，将来努力工作"等书法作品。

根据阅读内容选择 Choose the right answers according to what you have read.

1. 毛泽东从小：

A 字就写得好　　B 喜欢书法艺术　　C 敢于创新

2. 下面哪项不是毛泽东题写的？

A 人民日报　　B 为人民服务　　C 颐和园

## 四、阅读练习 *Reading exercises*

1. 判断正误 Determine whether the following statements are right ( √ ) or wrong ( × ).

（1）这面包怎么这么硬啊，已经放了好几天了吧？

从这句话我们知道：这个面包不好吃。（　　）

（2）我明明知道这个词，可是又把它写成别的了。

从这句话我们知道：我知道这个词怎么写。（　　）

（3）我听不出来这两个词的发音有什么不一样。

从这句话我们知道：我觉得两个词的发音一样。（　　）

（4）我好像在哪儿见过这个人，怎么想不起来了？

从这句话我们知道：我从来没见过这个人。（　　）

（5）冰箱里什么都有，你想吃什么就吃什么。

从这句话我们知道：冰箱里的东西你都能吃。（　　）

（6）真没看出来，你还会做饭，太让我吃惊了。

从这句话我们知道：没想到你会做饭。（　　）

（7）一个人旅行自由自在，想去哪儿就去哪儿。

从这句话我们知道：还没决定去哪儿旅行。（　　）

2. 排序组句，并加上标点 Rearrange and punctuate the following sentences.

例如：A 是真的没时间

B 下次吧，下次我肯定去

C 我不是不愿意去　C，A，B。

（1）A 也许是在电视上吧

B 我好像在哪儿见过他

C 这次给我理发的是一个新来的理发师 ________

（2）A 可真不容易

B 把汉语说得这么好

C 对留学生来说 ________

（3）A 他再也不敢一个人开车出去了

B 他第一次开车去办事就迷路了

C 从此以后 ________

（4）A 我猜他是韩国人

B 听他说话也能听出来

C 从他的样子能看出来 ________

（5）A 人应该自信

B 那样别人就更不相信你了

C 不能连自己都不相信 ________

## 五、读后写作 *Read and write*

学习汉语就要学习汉字，可是汉字除了每个字都不一样以外，还有很多同音字。例如健康的“健”和贵贱的“贱”，读音一样，都念jiàn。那怎么记住这些字的意思呢？

为了找到学习汉字的好办法，我和一些中国人讨论过这个问题，他们的回答特别有意思，都说“这不难，你看，‘健康’的‘健’和人的身体有关系，所以是单人旁（亻）；‘贵’、‘贱’两个字都和钱有关系，所以是贝字旁。”我又看了一些和汉字有关的书，发现真是这样，很多字的意思都和偏旁部首有关系。很多草字头（艹）的字都和花、草、植物（zhíwù plant）有关系，如，花、草、茶、菜、苹；三点水（氵）的字差不多都和水有关系，如，江、河、湖、海、汗。当然，“伞”字很特别，你看它多像一把伞呀。

要求：阅读上面的短文，介绍一下你学习汉字的好办法。

（90字）

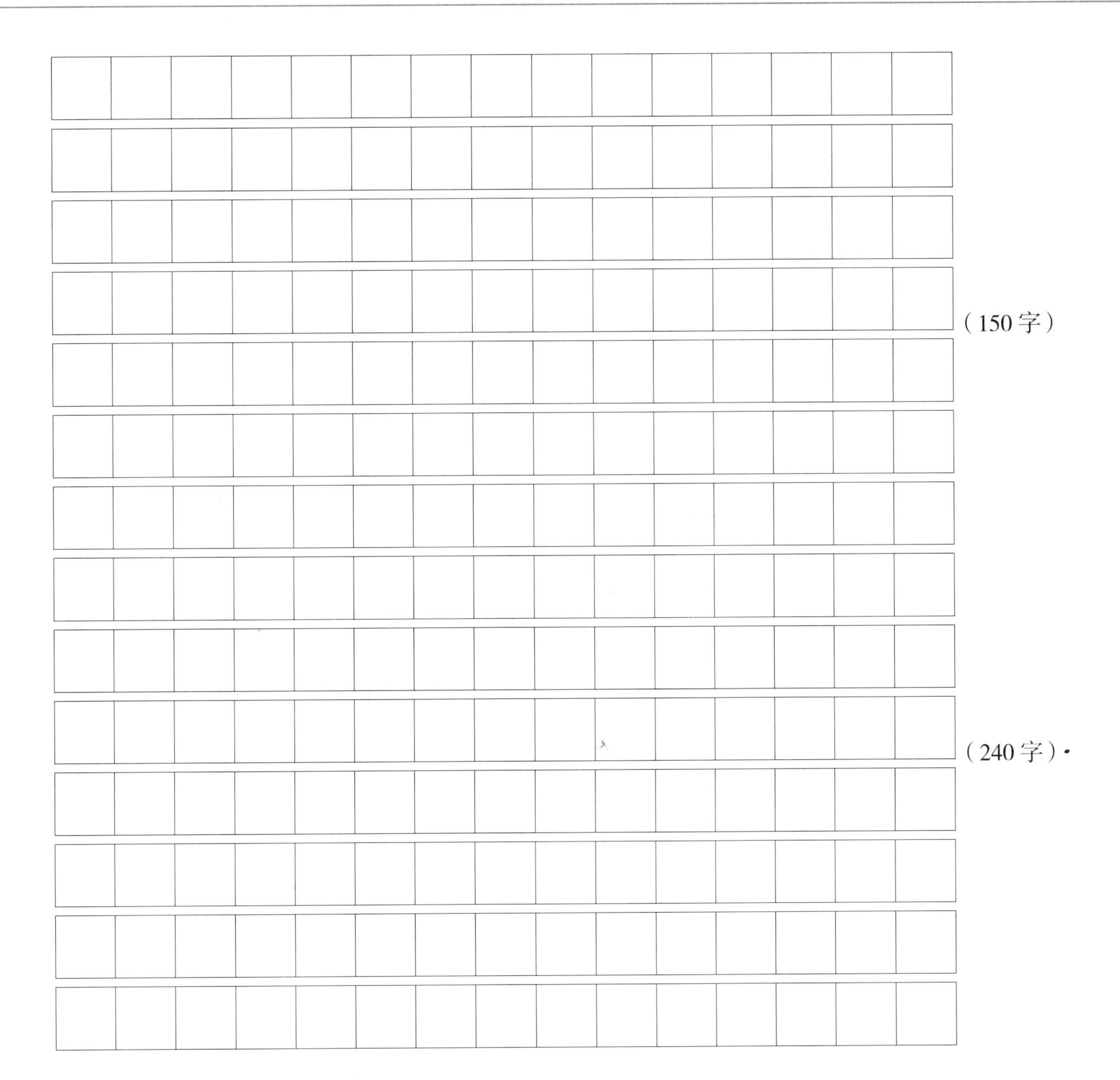
（150字）
（240字）

# 家里等我回电话

# My Family Is Waiting for Me to Call Back

## 一、朗读并背诵 *Read and recite*

钱包 丢了，护照 没了。
Qiánbāo diū le, hùzhào méi le.

钥匙 不见了，手机 找不着 了。
Yàoshi bújiàn le, shǒujī zhǎo bu zháo le.

风 在刮，雨 在下，家里 等 我 回 电话。
Fēng zài guā, yǔ zài xià, jiāli děng wǒ huí diànhuà.

我 生气，我 着急，走回 家里 一 身 泥。
Wǒ shēngqì, wǒ zháojí, zǒuhuí jiāli yì shēn ní.

钱包 呢？钱包 被 黑猫 偷走 了。
Qiánbāo ne? Qiánbāo bèi hēimāo tōuzǒu le.

护照 呢？护照 被 白猫 偷走 了。
Hùzhào ne? Hùzhào bèi báimāo tōuzǒu le.

黑猫、白猫，抓住 老鼠 才 是 好猫。
Hēimāo、báimāo, zhuāzhù lǎoshǔ cái shì hǎo māo.

可 它们 为什么 要 偷 护照、偷 钱包？
Kě tāmen wèishénme yào tōu hùzhào、tōu qiánbāo?

钥匙 呢？钥匙 叫 人 给 藏 起来 了。
Yàoshi ne? Yàoshi jiào rén gěi cáng qǐlai le.

手机 呢？手机 让 人 给 拍卖 了。
Shǒujī ne? Shǒujī ràng rén gěi pāimài le.

钱包 qiánbāo wallet, purse
钥匙 yàoshi key
生气 shēngqì angry
着急 zháojí to be worried
泥 ní mud
猫 māo cat
老鼠 lǎoshǔ mouse, rat
藏 cáng to hide
拍卖 pāimài auction

谁 藏起了 我 的 钥匙？
Shéi cángqǐle wǒ de yàoshi?

谁 拍卖了 我 的 手机？
Shéi pāimàile wǒ de shǒujī?

丢了 的，可以 不 要；
Diū le de, kěyǐ bú yào;

不见 了 的，可以 找到。
bújiàn le de, kěyǐ zhǎodào.

被 偷走 的，可以 找 回来；
Bèi tōuzǒu de, kěyǐ zhǎo huílai;

被 拍卖 了，可以 买 回来。
bèi pāimài le, kěyǐ mǎi huílai.

但是，聪明 的，你 告诉 我：
Dànshì, cōngming de, nǐ gàosu wǒ:

我 的 运气 怎么 这么 不 好？
Wǒ de yùnqi zěnme zhème bù hǎo?

是 有 人 故意 安排 的 吗？那 是 谁？
Shì yǒu rén gùyì ānpái de ma? Nà shì shéi?

是 我 自己 马虎 大意 吗？
Shì wǒ zìjǐ mǎhu dàyi ma?

那 今后 我 该 怎么 办？
Nà jīnhòu wǒ gāi zěnme bàn?

聪明 cōngming clever, smart

运气 yùnqi luck, fortune

故意 gùyì intentionally, on purpose

安排 ānpái to arrange

马虎大意 mǎhu dàyi careless

今后 jīnhòu from now on, in the future

**文化语句 *Cultural Quote***

人 无 远虑，必 有 近忧。
Rén wú yuǎn lǜ, bì yǒu jìn yōu.

## 二、实用阅读 *Practical reading*

学为（wéi to be）人师　行为世范

## 三、相关阅读 *Related reading*

“学为人师，行为世范”是北京师范大学的校训（xiàoxùn school motto）。

校训体现（tǐxiàn to reflect）的是学校的精神（jīngshén spirit）和文化，对老师和学生有激励（jīlì to stimulate）作用，是学校的灵魂（línghún soul, spirit）。师范大学毕业的学生，不少人会去当老师，因此希望他们的知识和学问（xuéwen learning, knowledge）可以给人当老师，他们做人做事的态度（tàidu attitude）和行为（xíngwéi behavior）可以给人当榜样（bǎngyàng example），事事严格要求自己，这就是“学为人师，行为世范”的意思。

北京师范大学校训是著名教育家、书法家启功（1912–2005）先生题写的。人们喜欢启功先生的书法，说他的书法会让人感到静，像静静的流水一样，字里行间（zì lǐ háng jiān between the lines）都有一种美。

回答问题 Answer the questions.

1. “学为人师，行为世范”是什么意思？
2. 你们大学的校训是什么？有什么意思？

## 四、阅读练习 *Reading exercises*

1. 请参照例句（1），分别为（2）-（6）找出合适的下句

Choose the right responses to Sentences (2)-(6) following the example.

例如：（1）认识这个字吗？ （ C ）

（2）她每天不是唱就是跳，总是高高兴兴的。 （ ）

（3）桌子上有你一封信，信封背面还写着让你赶快回信。 （ ）

（4）你买的那个酸奶机有用吗？ （ ）

（5）听说李小毛特别马虎。 （ ）

（6）“人在草木中”是一个汉字，名词，这东西你特别喜欢，你猜是什么字？ （ ）

A 太有用了，我差不多天天用它做酸奶。

B 没错，天天丢东西。可能除了他自己以外，什么都丢过。

C 那还用说，当然认识。

D 我猜不着，你告诉我吧。

E 肯定是我家里来的，我爸妈都不喜欢用电脑。

F 多好啊，谁跟她在一起都会觉得很愉快。

2. 判断正误 Determine whether the following statements are right ( √ ) or wrong ( × ).

（1）我的钥匙不是丢在商店里了，就是丢在教室里了，因为我没去过别的地方。

从这句话我们知道：我的钥匙丢了。 （ ）

（2）这个班的学生，个个都聪明，学习都很好。

从这句话我们知道：这个班有一个聪明学生。 （ ）

（3）看了病不吃药有什么用啊？

从这句话我们知道：看病不吃药，病好不了。 （ ）

（4）留学的这几年，除了旅行，他花钱最多的就是买书。

从这句话我们知道：他买了很多书。（ ）

（5）他从小喜欢历史，并且学的是历史专业，也许以后会成为一名历史学家。

从这句话我们知道：他是一名历史学家。（ ）

## 五、读后写作 *Read and write*

### 什么是幸福

什么是幸福？每个人的回答都是不一样的。老张说有钱就幸福，因为没有钱，什么事情都做不成。小李说，有钱不一定幸福，钱能买到爱情吗？钱能买到好心情吗？钱能买到年轻、美丽吗？钱能买到健康吗？所以得到爱情会幸福，心情好也会感到幸福，年轻、美丽、健康是更大的幸福。我最喜欢的是老王说的话，老王说，别人需要我，能够帮助别人，我就感到幸福。

记得那是个周末，天气特别好，不冷不热的，我早早儿起来出门，准备和朋友一起骑自行车去郊游。刚出门不远，就看到一位老人坐在路边，很难受的样子，肯定是病了。老人住在哪儿呢？怎么找到他的家人呢？我们商量着。看看老人，他好像比刚才更难受了。我们觉得不能不送他去医院了。我们打了999，一会儿车来了，我们把老人送到医院，医生给他打针、吃药，一会儿他好多了。老人打电话叫来了他的孩子，全家人一遍遍地感谢我们，那时候，我真的觉得很幸福。

要求：阅读短文，结合自己的实际情况，谈谈你对幸福的看法。

| | | | | | | | | | | | | | | |
|---|---|---|---|---|---|---|---|---|---|---|---|---|---|---|
| | | | | | | | | | | | | | | |
| | | | | | | | | | | | | | | |

（90字）

（150字）

（240字）

（300字）

（390字）

# 10 有一种智慧叫中庸
## The Wisdom of Golden Mean

### 一、朗读并背诵 *Read and recite*

有一种 快餐 叫 热狗；
Yǒu yì zhǒng kuàicān jiào règǒu;

有一种 饮料 叫 可乐。
yǒu yì zhǒng yǐnliào jiào kělè.

有一种 食品 叫 饺子；
Yǒu yì zhǒng shípǐn jiào jiǎozi;

有一种 餐具 叫 筷子。
yǒu yì zhǒng cānjù jiào kuàizi.

有一种 好吃的 叫 烤鸭；
Yǒu yì zhǒng hǎochī de jiào kǎoyā;

有一种 好去处 叫 酒吧。
yǒu yì zhǒng hǎo qùchù jiào jiǔbā.

有一种 心理 叫 自尊；
Yǒu yì zhǒng xīnlǐ jiào zìzūn;

有一种 情绪 叫 无奈。
yǒu yì zhǒng qíngxù jiào wúnài.

有一种 美德 叫 善良；
Yǒu yì zhǒng měidé jiào shànliáng;

有一种 自爱 叫 自恋。
yǒu yì zhǒng zì'ài jiào zìliàn.

有一种 智慧 叫 中庸；
Yǒu yì zhǒng zhìhuì jiào zhōngyōng;

有一种 骗术 叫 忽悠。
yǒu yì zhǒng piànshù jiào hūyou.

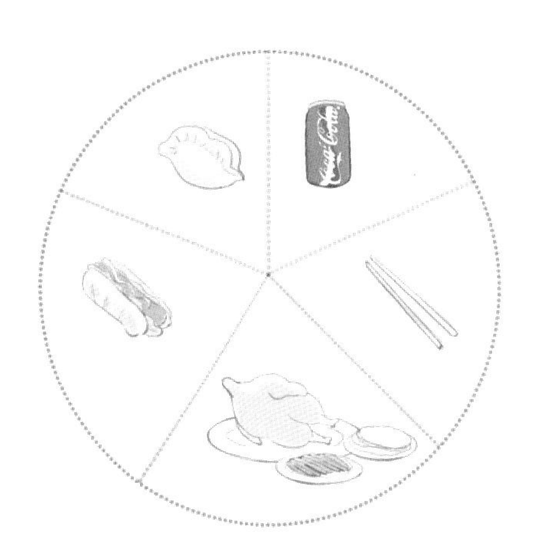

智慧 zhìhuì wisdom

中庸 zhōngyōng Golden Mean, the Doctrine of Mean

快餐 kuàicān fast food

热狗 règǒu hot dog

去处 qùchù place to go

自尊 zìzūn self-respect, self-esteem

情绪 qíngxù emotion, mood

无奈 wúnài helplessness; to have no choice but

自恋 zìliàn autophilia, narcissism

骗术 piànshù deception, trick

忽悠 hūyou to hoodwink

聪明 的人不一定老实，老实人不一定聪明。
Cōngming de rén bù yídìng lǎoshi, lǎoshi rén bù yídìng cōngming.

自恋的人不一定自私，自私的人一定自恋。
Zìliàn de rén bù yídìng zìsī, zìsī de rén yídìng zìliàn.

有道德不一定有智慧，有智慧不一定有道德。
Yǒu dàodé bù yídìng yǒu zhìhuì, yǒu zhìhuì bù yídìng yǒu dàodé.

老实 lǎoshi honest, simple-minded
自私 zìsī selfish
道德 dàodé morality

**文化语句 Cultural Quote**
仁者见仁，智者见智。
Rén zhě jiàn rén, zhì zhě jiàn zhì.

## 二、实用阅读 *Practical reading*

王小雨印

发展汉语

走遍中国

## 三、相关阅读 *Related reading*

外国人讲究签字（qiānzì to sign one's name），中国人讲究盖章（gài zhāng to seal, to stamp）。不过，中国近些年来，签字越来越多，盖章越来越少。中国刻（kè to carve, to engrave）印章（yìnzhāng seal, signet）的历史已经有几千年了，印章的种类和内容也很丰富。

从古至今，许多中国人都喜欢印章，他们不仅喜欢印章，还收藏（shōucáng to collect, to store up）印章。因为小小的印章上，字虽然没有几个，却是最有民族（mínzú nationality, ethnic group）特色的中国传统艺术。

看看这些印章上写的都是什么

What were written on these seals? Please put A-E into the corresponding blanks.

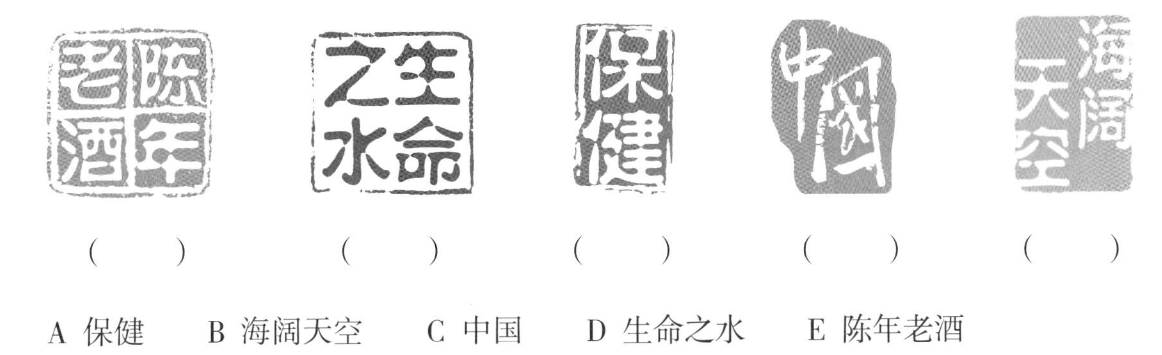


(　　)　　(　　)　　(　　)　　(　　)　　(　　)

A 保健　　B 海阔天空　　C 中国　　D 生命之水　　E 陈年老酒

## 四、阅读练习　*Reading exercises*

1. 请参照例句（1），分别为（2）－（6）找出合适的下句

Choose the right responses to Sentences (2)-(6) following the example.

例如：（1）认识这个字吗？　　（ C ）

（2）看书的时候小心点儿啊，别弄脏了。　　（　　）

（3）看样子他来不了了。　　（　　）

（4）听说你们比赛赢了。　　（　　）

（5）天啊，我的电子词典忘在出租车上了。　　（　　）

（6）我的书几乎都被借走了，我也不记得是谁借的。　　（　　）

A 放心吧，不会的。

B 你还记得车牌号吗？可以给出租公司打电话。

C 那还用说，当然认识。

D 赢是赢了，可是有两个人受伤了。

E 下次有人借书的时候，一定记着让他们签字。

F 再等等，昨天晚上打电话，他还说一定来呢。

2. 判断正误 Determine whether the following statements are right ( √ ) or wrong ( × ).

（1）幸好他带的钱多，我才买回了这套书。

从这句话我们知道：我跟他借钱，买回了书。 （ ）

（2）我猜得没错吧，果然是他。

从这句话我们知道：我猜对了。 （ ）

（3）每年都去旅行，但这次旅行的经历给我留下的印象最深。

从这句话我们知道：这次旅行的时间最长。 （ ）

（4）我们在一起就像一个大家庭，有任何问题大家都互相帮助。

从这句话我们知道：因为是一家人，所以互相帮助。 （ ）

（5）父子两人一点儿也不像，可能唯一相同的就是个子都很高。

从这句话我们知道：父亲和儿子长得不像。 （ ）

## 五、读后写作 *Read and write*

### 仁者见仁，智者见智

“仁者见仁，智者见智”出自于中国的古书《易经》，它的意思是，对同一个问题、同一件事，各人有各人的见解（jiànjiě opinion），仁者看到的是仁的一面，智者看到的是智的一面。这句话也说成“见仁见智”，它的意思也是说，对于同一个问题、同一件事，不同的人有不同的体会（tǐhuì feeling, understanding）、认识（rènshi realization, comprehension）和看法。

比如，对于大学生打工这件事，中国人和外国人、学生和家长就会有不同的看法。有的人认为，大学生打工是好事，既可以挣钱，又可以得到一些工作经验；有的人认为，大学生还是应该以学习为主，打工挣的钱也不多，还耽误（dānwu to hold up, to delay）时间、耽误学习；也有的人认为，大学生是应该以学习为主，但是偶尔（ǒu'ěr occasionally）打打工对他们也有好处。

你看，对打工这件事就有不同的看法，更重要的是，每个人的看法都各有道理，很难说谁对谁错。这就是“仁者见仁，智者见智”的含义。

要求：阅读上面的短文，结合实例谈谈你对“仁者见仁，智者见智”的看法。

（90字）

（150字）

（240字）

（300字）

（390字）

# 11 学好汉语才回家

# I Won't Go Home Until I Learn Chinese Well

## 一、朗读并背诵 *Read and recite*

你拍一，我拍一：为学汉语到一起。
Nǐ pāi yī, wǒ pāi yī: wèi xué Hànyǔ dào yìqǐ.

你拍二，我拍二：中国 朋友 好伙伴儿。
Nǐ pāi èr, wǒ pāi èr: Zhōngguó péngyou hǎo huǒbànr.

你拍三，我拍三：吃完 饭后 要 买单。
Nǐ pāi sān, wǒ pāi sān: chīwán fàn hòu yào mǎidān.

你拍四，我拍四：回到 宿舍 写 汉字。
Nǐ pāi sì, wǒ pāi sì: huídào sùshè xiě Hànzì.

你拍五，我拍五：写完 汉字 去 跳舞。
Nǐ pāi wǔ, wǒ pāi wǔ: xiěwán Hànzì qù tiàowǔ.

你拍六，我拍六：家里 人 要 常 问候。
Nǐ pāi liù, wǒ pāi liù: jiāli rén yào cháng wènhòu.

你拍七，我拍七：亲朋 好友 常 联系。
Nǐ pāi qī, wǒ pāi qī: qīnpéng hǎoyǒu cháng liánxì.

你拍八，我拍八：学好 汉语 才 回 家。
Nǐ pāi bā, wǒ pāi bā: xuéhǎo Hànyǔ cái huí jiā.

你拍九，我拍九：下课 校园 走 一 走。
Nǐ pāi jiǔ, wǒ pāi jiǔ: xiàkè xiàoyuán zǒu yì zǒu.

你拍十，我拍十：手机 没 钱 要 充值。
Nǐ pāi shí, wǒ pāi shí: shǒujī méi qián yào chōngzhí.

拍 pāi to clap

伙伴儿 huǒbànr partner, companion

买单 mǎidān to pay a bill (at a restaurant, etc.)

问候 wènhòu to send one's regards (to sb.)

充值 chōngzhí to top up (a card), to recharge

汉语是你们的，也是我们的，
Hànyǔ shì nǐmen de, yě shì wǒmen de,

归根结底是我们大家的。
guī gēn jié dǐ shì wǒmen dàjiā de.

你们 中国人，汉语说得快，
Nǐmen Zhōngguórén, Hànyǔ shuō de kuài,

就像 喘气 一样，张口 就来。
jiù xiàng chuǎnqì yíyàng, zhāngkǒu jiù lái.

我们 外国人，汉语说得慢，
Wǒmen wàiguórén, Hànyǔ shuō de màn,

就像 长跑 一样，快不起来。
jiù xiàng chángpǎo yíyàng, kuài bu qǐlái.

但是，我们的目的一定要达到，
Dànshì, wǒmen de mùdì yídìng yào dádào,

我们的目的一定能够达到，希望在我们手里。
wǒmen de mùdì yídìng nénggòu dádào, xīwàng zài wǒmen shǒuli.

喘气 chuǎnqì to breathe, to gasp
张口 zhāngkǒu to open one's mouth
长跑 chángpǎo long-distance running
目的 mùdì aim, goal
达到 dádào to reach, to achieve
能够 nénggòu to be able to

**文化语句 *Cultural Quote***

知人者智，自知者明。胜人者有力，自胜者强。
Zhī rén zhě zhì, zì zhī zhě míng. Shèng rén zhě yǒu lì, zì shèng zhě qiáng.

## 二、实用阅读 *Practical reading*

天下第一山

中天独立

丈人峰

## 三、相关阅读 *Related reading*

"题刻"（tíkè inscription）的意思是往石头（shítou stone）上题字、刻字。

从古至今，诗人（shīrén poet）、名人、字写得好的人，他们在游览名山的时候，常常在风景好的地方，在石头上题字、写诗，表达看法、寄托（jìtuō to place (hope) on）希望、抒发（shūfā to express）感情，所以中国的许多名山都留下了不少题刻、题字、题诗，山也因此更加有名。

题刻最多、也最有名的就是泰山，有各种题刻1800多处。其中，有皇帝写的，也有历代名人写的，泰山也因此被称为"中国书法名山"。比如"天下第一山"、"中天独立"都是对泰山的赞美（zànměi to praise, to eulogize）。

回答问题 Answer the questions.

1. 阅读上面的文字，谈谈你对题刻的看法。
2. 你旅游时看到过题刻吗？还记得写的是什么吗？

## 四、阅读练习 *Reading exercises*

1. 请参照例句（1），分别为（2）-（6）找出合适的下句

Choose the right responses to Sentences (2)-(6) following the example.

例如：（1）这个词词典里有吗？　（ C ）

（2）我对所有的客户都一样，产品的好处要告诉您，坏处也会跟您讲。（　　）

（3）你愿意当翻译还是当老师？（　　）

（4）不好意思，没想到堵车，让大家久等了。（　　）

（5）经理，我今天能提前走会儿吗？家里有点儿事。（　　）

（6）他优点挺多的，工作认真、守时，对人热情，人也很能干。（　　）

A 难道他没有缺点吗？

B 那你先走吧。别忘了明天准时去机场接经理。

C 也许有，但我没查到。

D 这我就放心了，我相信您。

E 有当老师的机会，我自己放弃了，我就不愿意当老师。

F 我们门前这条路越到上下班的时候越堵。

2. 判断正误 Determine whether the following statements are right ( √ ) or wrong ( × ).

(1) 我原来想开个公司，自己当经理，现在看来，开公司也不是件容易的事啊！
从这句话我们知道：我开了个公司。 (　　)

(2) 这个工作的好处是上班近、方便，坏处是钱不多。
从这句话我们知道：这个工作又好上班又近。 (　　)

(3) 你这个人也太浪费了，吃不了就别买这么多，就这么扔了，多可惜呀！
从这句话我们知道：吃的买太多了。 (　　)

(4) 今天这边有什么活动吗？来的时候我看到一路都是人。
从这句话我们知道：路上都是人。 (　　)

(5) 桌子上太乱了，把没用的东西拿走点儿。
从这句话我们知道：桌子上有很多没用的东西。 (　　)

## 五、读后写作 *Read and write*

### 给旅游局长的一封信

尊敬（zūnjìng to respect, to honor）的局长先生：

我是一名留学生，来中国学习汉语已经一年多了。我喜欢旅游，在这一年多里，我去了很多地方，我觉得中国很有魅力（mèilì charm），很多名城名山也很吸引我，我喜欢在中国旅游。但我也发现，中国旅游景点（jǐngdiǎn scenic spot）还有一些问题，因此我给您写信，提两条意见。

第一，旅游景点的人数要限制（xiànzhì to restrict, to limit），但是外国人不限制。因为人太多的话，会影响景点的环境和游览的心情。但是我们外国人来一趟不容易，不应该限制，而中国人什么时候都有机会去。

第二，旅游景点的餐饮应该是简单的快餐。现在旅游景点的饭菜都很丰富，但是要吃饭，等的时间太长，也有很多浪费现象。快餐既方便又环保（huánbǎo environment-friendly），对游客来说也节省（jiéshěng to save）时间。建议多发展快餐，特别是中式快餐。

留学生　玛丽亚

12月22日

要求：阅读上面的短文，根据实际情况，给老师、校长、市长……写一封信。

（90字）

（150字）

（240字）

（300字）

（390字）

# 12 我的心中有愿望

# I Have a Wish

## 一、朗读并背诵 *Read and recite*

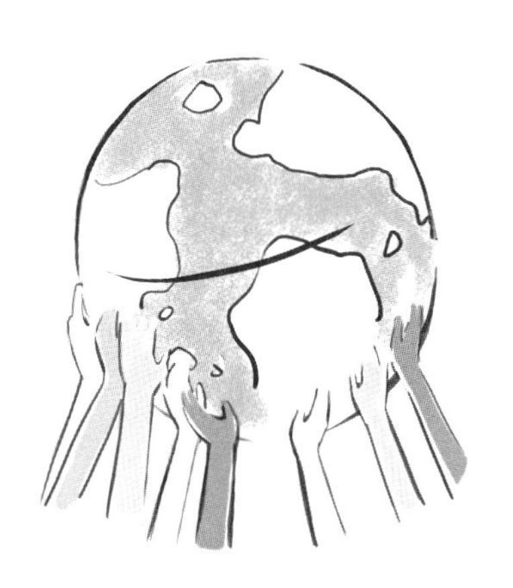

我和我的祖国，有时候可以分开。
Wǒ hé wǒ de zǔguó, yǒu shíhou kěyǐ fēnkāi.

我和这个地球，一刻也不能分开。
Wǒ hé zhège dìqiú, yíkè yě bù néng fēnkāi.

我爱每一座高山，我爱每一条河流。
Wǒ ài měi yí zuò gāoshān, wǒ ài měi yì tiáo héliú.

语言可以不同，博爱却是相同的。
Yǔyán kěyǐ bù tóng, bó'ài què shì xiāngtóng de.

习惯可以不同，爱心却是一样的。
Xíguàn kěyǐ bù tóng, àixīn què shì yíyàng de.

风俗可以不同，友情却不分国界。
Fēngsú kěyǐ bù tóng, yǒuqíng què bù fēn guójiè.

信仰可以不同，包容却不分肤色。
Xìnyǎng kěyǐ bù tóng, bāoróng què bù fēn fūsè.

山连着山，水连着水，天下一家人。
Shān liánzhe shān, shuǐ liánzhe shuǐ, tiānxià yì jiā rén.

手拉着手，心连着心，保护地球村。
Shǒu lāzhe shǒu, xīn liánzhe xīn, bǎohù dìqiúcūn.

你要问我从哪里来，我的故乡在远方。
Nǐ yào wèn wǒ cóng nǎli lái, wǒ de gùxiāng zài yuǎnfāng.

愿望 yuànwàng wish, desire
祖国 zǔguó motherland
分开 fēnkāi to separate, to split
一刻 yíkè a moment
博爱 bó'ài universal love
风俗 fēngsú custom
友情 yǒuqíng friendship
国界 guójiè national boundaries
信仰 xìnyǎng belief
包容 bāoróng tolerant, forgiving
肤色 fūsè skin color
连 lián to link, to join
故乡 gùxiāng hometown

| | |
|---|---|
| 你要问我为什么来，我的心中有愿望。<br>Nǐ yào wèn wǒ wèishénme lái， wǒ de xīnzhōng yǒu yuànwàng. | 梦想 mèngxiǎng dream |
| ——为了多年的梦想，为了将来走四方。<br>—— Wèile duō nián de mèngxiǎng, wèile jiānglái zǒu sìfāng. | |

**文化语句 *Cultural Quote***

己所不欲，勿施于人。

Jǐ suǒ bú yù， wù shī yú rén.

## 二、实用阅读 *Practical reading*

北京饭店

眉州东坡酒楼

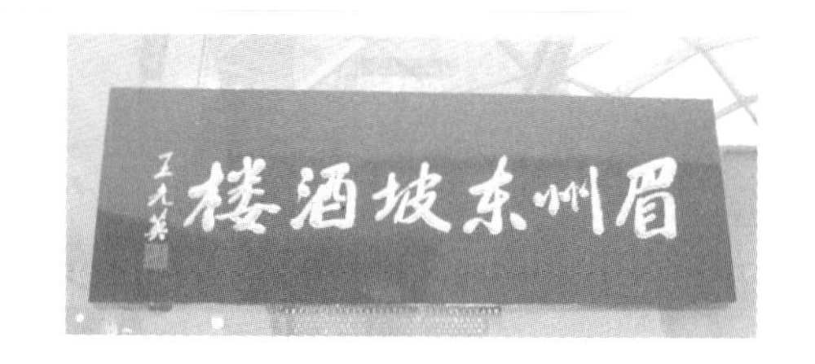


全聚德

砂锅居

丰泽园

## 三、相关阅读 *Related reading*

我们学过“饭馆”、“饭店”，也知道吃饭当然要找饭馆，找饭店。可是你知道吗，有的时候没有写着“饭馆”、“饭店”的地方也是吃饭的好去处。图片上的这些地方就是其中几个。

“酒楼”、“酒家”也都是餐馆、饭店的意思，例如“眉州东坡酒楼”，这是一个吃四川菜的好地方。

除此之外，还有些餐馆、饭店，从名字上看不出来是餐馆和饭店，例如“全聚德”、“砂锅居”、“丰泽园”、“外婆家”等等，它们有的是老字号，有的是用餐馆或饭店的特色菜做名字，总之多种多样。

要想品尝（pǐncháng to taste）更多的中国美食（měishí delicacy），就到各种各样的饭店、饭馆、餐馆、酒家，去尝一尝。当然，那得准备好人民币。

回答问题 Answer the questions.

1. 哪些名字可以直接看出来是吃饭的地方？
2. 你还知道哪些餐馆的名字？它们的特色菜是什么？

## 四、阅读练习 *Reading exercises*

1. 请参照例句（1），分别为（2）-（6）找出合适的下句

Choose the right responses to Sentences (2)-(6) following the example.

例如：（1）这个词词典里有吗？ （ C ）
（2）桂林的山水特别漂亮，真是风景如画。 （ ）
（3）这儿就是约好的见面地点吗？ （ ）
（4）我下周去西安，除了兵马俑，还应该去哪儿看看？ （ ）
（5）昨天的活动好像不太适合你们。 （ ）
（6）时间像流水一样，不知不觉就过去了，我们都已经长成了大人。 （ ）

A 是啊，上次见面已经是十多年前的事了。
B 是啊，所以我就跟朋友先离开了。
C 也许有，但我没查到。
D 我觉得，陕西省博物馆一定要去，而且一定要请人讲解。
E 好像是，我也记不清到底在哪儿了。
F 是啊，看哪儿都像一幅画似的。

2. 判断正误 Determine whether the following statements are right ( √ ) or wrong ( × ).

(1) 桌子上摆满了东西，什么都有，就是看不见眼镜。

从这句话我们知道：说话人在找眼镜。 (　　)

(2) 我们这儿，即使下雪，也不会下太大。

从这句话我们知道：我们这儿经常下大雪。 (　　)

(3) 尽管他心里一百个不愿意，可他还是来了。

从这句话我们知道：他满心地不高兴。 (　　)

(4) 这是我特意给你买的，一定要收下。

从这句话我们知道：我收下了礼物。 (　　)

(5) 不亲眼看见、亲耳听见，我怎么能相信呢？

从这句话我们知道：亲眼看见、亲耳听见的，我才相信。 (　　)

## 五、读后写作 *Read and write*

### 我想办个摄影展（shèyǐngzhǎn photographic exhibition）

在中国待了一年，我已经习惯了这里。习惯了这里的气候，习惯了这里的饭菜，习惯了中国人的热情，我已经把中国当成自己的第二故乡了。

我现在最大的愿望就是在中国办一个摄影展览。

我喜欢旅游，也去了很多地方，从哈尔滨到三亚，从上海到拉萨，我不但去了很多大城市，也到过很多小村庄（cūnzhuāng village）。每到一个地方，我都会用我的眼睛观察（guānchá to observe, to watch）中国，用我的照相机记录（jìlù to record, to keep the minutes）中国。这一年来，我照了几万张照片，我想选出一些我最喜欢的照片，办一个摄影展，让大家看到一个外国人眼中的中国。

要求：阅读上面的短文，写出自己的愿望。

（90字）

（150字）

（240字）

（300字）

（390字）

# 13 感觉越来越好

# Feel Better and Better

## 一、朗读并背诵 *Read and recite*

行人多，走得快，闯红灯的不自爱。
Xíngrén duō, zǒu de kuài, chuǎng hóngdēng de bú zì'ài.

汽车多，地铁快，上车抢座真奇怪。
Qìchē duō, dìtiě kuài, shàng chē qiǎng zuò zhēn qíguài.

方言多，差别大，听不懂的是地方话。
Fāngyán duō, chābié dà, tīng bu dǒng de shì dìfānghuà.

东北话，西北话，最标准的是普通话。
Dōngběihuà, Xīběihuà, zuì biāozhǔn de shì pǔtōnghuà.

听的多了，反应快了，感觉越来越好。
Tīng de duō le, fǎnyìng kuài le, gǎnjué yuè lái yuè hǎo.

说的多了，口语溜了，心情越来越好。
Shuō de duō le, kǒuyǔ liù le, xīnqíng yuè lái yuè hǎo.

读的多了，阅读快了，见识越来越广。
Dú de duō le, yuèdú kuài le, jiànshi yuè lái yuè guǎng.

写的多了，错误少了，表达越来越好。
Xiě de duō le, cuòwù shǎo le, biǎodá yuè lái yuè hǎo.

汉语好了，朋友多了，麻烦越来越少。
Hànyǔ hǎo le, péngyou duō le, máfan yuè lái yuè shǎo.

能力强了，办法多了，困难越来越少。
Nénglì qiáng le, bànfǎ duō le, kùnnan yuè lái yuè shǎo.

闯红灯 chuǎng hóngdēng to run a red light

抢（座） qiǎng (zuò) to rush for (a seat), to grab (a seat)

方言 fāngyán dialect

差别 chābié difference

地方话 dìfānghuà dialect

标准 biāozhǔn standard

溜 liù fluent

见识 jiànshi experience, knowledge

见识 广 了，懂 的 多了，烦恼 越 来 越 少。
Jiànshi guǎng le, dǒng de duō le, fánnǎo yuè lái yuè shǎo.

联系 多 了， 沟通 多 了，误会 越 来 越 少。
Liánxì duō le, gōutōng duō le, wùhuì yuè lái yuè shǎo.

| | | |
|---|---|---|
| 烦恼 | fánnǎo | trouble, vexation |
| 沟通 | gōutōng | to communicate |
| 误会 | wùhuì | misunderstanding |

**文化语句** *Cultural Quote*

海阔凭鱼跃，天高任鸟飞。
Hǎi kuò píng yú yuè, tiān gāo rèn niǎo fēi.

## 二、实用阅读 *Practical reading*

财务处

语言大学
财务处

教务处

语言大学
教务处

后勤处

留学生办公室

语言大学
留学生办公室

校园卡管理（guǎnlǐ to manage, to administer）中心

语言大学
校园卡管理中心

## 三、相关阅读 *Related reading*

你走进中国的大学，首先（shǒuxiān first of all）要到留学生办公室去报到（bàodào to check in, to register）。各个学校都有外事处或者留学生办公室，或叫国际交流中心，你要找到这样的地方，因为你的留学生活是从这儿开始的。接着你要找到你住宿的房间，因为住宿是你首先要解决的问题。不用说，你还要到财务处交学费。当然，你必须找到你学习汉语的学院，拿到课表，买教材。

当你进入了中国的大学，你就有了一张“校园卡”，去图书馆借书、去食堂吃饭，很多很多事都要用卡。老师也有卡，学生也有卡，一个学校有这么多卡，当然就得有个“校园卡管理中心”啦。

回答问题 Answer the questions.

1. 来中国后，你在学校的什么部门办过事？
2. 你办事顺利吗？谈一谈你难忘的办事经历。

## 四、阅读练习 *Reading exercises*

1. 请参照例句（1），分别为（2）-（6）找出合适的下句

Choose the right responses to Sentences (2)-(6) following the example.

例如：（1）这个词词典里有吗？ （ C ）

（2）你说我能有机会参加全国比赛吗？ （ ）

（3）这么晚了，还有公共汽车吗？ （ ）

（4）同时学两门外语太吃力了。 （ ）

（5）请问，包裹外边也要写地址吗？ （ ）

（6）只有你明白我是怎么想的。 （ ）

A 当然了，咱们是多少年的朋友了。

B 是啊，我也觉得能学好一门就不错了。

C 也许有，查一查吧。

D 是的，收信人的地址在上边，发信人的在下边。

E 你只有试一试才知道，不过，我觉得没问题。

F 没有的话我们就走回去吧，好在也没多远。

2. 判断正误 Determine whether the following statements are right ( √ ) or wrong ( × ).

（1）这个人我曾经在哪儿见过。

从这句话我们知道：我当然认识这个人。 （ ）

（2）到了那儿经常和我们联系，好让我们放心。

从这句话我们知道：我们对听话人很关心。 （ ）

（3）你觉得你这种说法有道理吗？别人会相信吗？

从这句话我们知道：这种说法别人不会信。 （ ）

（4）财务处的人说话我听不懂，服务态度也差。

从这句话我们知道：财务处的人服务不好。 （ ）

（5）你有什么意见可以提出来，我们都愿意接受。

从这句话我们知道：我们欢迎提意见。 （ ）

（6）只有保持好心情，才能没有烦恼。

从这句话我们知道：你心情应该好一点儿。 （ ）

## 五、读后写作 *Read and write*

**通知**（tōngzhī notice）

各位同学：

你们好！

新年就要到了，学生会于（yú on, in, at）12月29日（星期六）晚7:00在学生活动中心举行新年联欢会，欢迎大家参加。

晚会活动有：电影欣赏、游戏（yóuxì game）、舞会。

我们为大家准备了茶点（chádiǎn tea and pastries, refreshments）和小礼物，欢迎带你的朋友一起来！

参加晚会的同学，请于27日20:00前到学生会购买晚会门票，每张5元。

学生会地址：学生活动中心一层101室

联系电话：82533892

电子邮箱：xueshenghui@163.com

学生会

12月25日

要求：阅读上面的短文，模仿写一个邀请通知。

（90字）

（150字）

（240字）

（300字）

（390字）

# 14 心动不如行动

# Act on Your Dream

## 一、朗读并背诵 *Read and recite*

去 杭州 看西湖，到 苏州 看 园林。
Qù Hángzhōu kàn Xī Hú, dào Sūzhōu kàn yuánlín.

上 有 天堂，下有苏杭。
Shàng yǒu tiāntáng, xià yǒu Sū Háng.

去 广西，到 桂林，
Qù Guǎngxī, dào Guìlín,

桂林 山水 甲 天下。
Guìlín shānshuǐ jiǎ tiānxià.

黄山、 泰山、 九华山，你 都 去过 哪 座 山？
Huáng Shān、Tài Shān、Jiǔhuá Shān, nǐ dōu qùguo nǎ zuò shān?

西湖、太湖、千岛湖，你 都 游过 哪 个 湖？
Xī Hú、Tài Hú、Qiāndǎo Hú, nǐ dōu yóuguo nǎ ge hú?

长江、 香江、 黑龙江， 你 都 到过 哪条 江？
Cháng Jiāng、Xiāng Jiāng、Hēilóng Jiāng, nǐ dōu dàoguo nǎ tiáo jiāng?

黄河、 淮河、 大渡河，你 还 知道 什么 河？
Huáng Hé、Huái Hé、Dàdù Hé, nǐ hái zhīdào shénme hé?

中国 大，山河 多，可惜 一 个 没 去过。
Zhōngguó dà, shānhé duō, kěxī yí ge méi qùguo.

山河 多，风景 美，不 去 看看 准 后悔。
Shānhé duō, fēngjǐng měi, bú qù kànkan zhǔn hòuhuǐ.

心动不如行动
xīn dòng bùrú xíngdòng
to act on your dream

上有天堂，下有苏杭
shàng yǒu tiāntáng, xià yǒu Sū Háng
There is Heaven above, Suzhou and Hangzhou below.

可惜 kěxī
unfortunately, it's a pity

后悔 hòuhuǐ to regret

百闻不如一见，百见不如实践。
Bǎi wén bùrú yí jiàn, bǎi jiàn bùrú shíjiàn.

眼看不如心动，心动不如行动。
Yǎn kàn bùrú xīn dòng, xīn dòng bùrú xíngdòng.

买车票，订酒店，我汉语不好有点儿难。
Mǎi chēpiào, dìng jiǔdiàn, wǒ Hànyǔ bù hǎo yǒudiǎnr nán.

千难万难难不住，车到山前必有路。
Qiān nán wàn nán nán bu zhù, chē dào shān qián bì yǒu lù.

文化语句 *Cultural Quote*
读万卷书，行万里路。
Dú wàn juàn shū, xíng wàn lǐ lù.

百闻不如一见
bǎi wén bùrú yí jiàn
It is better to see once than hear a hundred times — one look is worth a thousand words, seeing is believing

实践 shíjiàn to put into practice, to carry out

车到山前必有路
chē dào shān qián bì yǒu lù
The cart will find its way round the hill when it gets there — things will eventually sort themselves out

## 二、实用阅读 *Practical reading*

挂号处（guàhào chù）

收费处（shōu fèi chù）

药房（yàofáng）

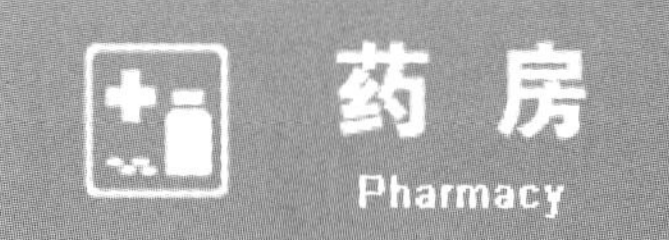


急诊（jízhěn）

内科（nèikē）

外科（wàikē）

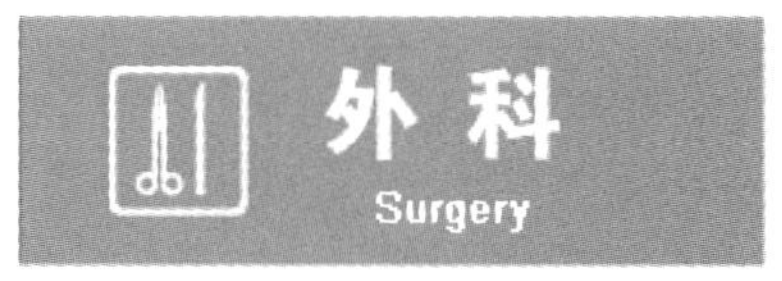


口腔科（kǒuqiāng kē）

中医科（zhōngyī kē）

中医科
Department of Traditional Chinese Medicine

针灸科（zhēnjiǔ kē）

针灸科
Department of Acupuncture

## 三、相关阅读 *Related reading*

生病了去医院看病，首先要挂号。挂号分内科、外科等等，感冒发烧要挂内科，牙疼要挂口腔科，夜里看病挂急诊。中国的医院还有中医科、针灸科，你可以根据自己的需要找不同科的医生。看病后，你要到收费处交钱，交了钱，才能去药房取药。药房有中药房、西药房，去中药房取不到西药，去西药房取不到中药。

当然，只是希望你了解这些知识，并不希望你去实践。

回答问题 Answer the questions.

1. 说说中国医院与你们国家医院有什么不同。
2. 说说你的看病经历。

## 四、阅读练习 *Reading exercises*

1. 判断正误 Determine whether the following statements are right ( √ ) or wrong ( × ).

（1）从认识他的那天起，我们就成了无话不谈的好朋友。
从这句话我们知道：我们是最好的朋友。 （　　）

（2）我需要订一张北京到上海的往返机票。
从这句话我们知道：我要从北京到上海，再从上海回北京。 （　　）

（3）这是一部关于母亲与孩子的电影，感动了很多人。
从这句话我们知道：很多人被这部电影感动了。 （　　）

（4）这次活动是为了纪念孔子（ Kǒngzǐ Confucius ）。
从这句话我们知道：这是一次纪念孔子的活动。 （　　）

（5）看看他写的文章，可以帮你更好地理解他的想法。
从这句话我们知道：他的文章很有意思。 （　　）

（6）这些年他一直在帮助我，我对他十分感激。

从这句话我们知道：他给了我很多帮助。（ ）

2. 选出正确答案 Choose the right answers.

（1）那哥俩真是了不起。他俩从开出租车做起，有了点儿钱以后，就开了家兄弟快递公司。不管春夏秋冬，他们天天从早忙到晚，现在他们的公司越办越好。

★ 根据这段话，我们可以知道：

A 春天他们特别忙　　B 哥哥和弟弟很棒

C 弟弟不是公司老板　　D 哥哥现在开出租车

（2）老张是个好人。不管刮风还是下雨，每天他都是第一个来到办公室，把桌子擦了，把地扫了，把屋子打扫得干干净净。老张的妻子饺子做得特别好吃，每次老张家包了饺子，老张都会带一些到办公室，这样，我们这些家在外地的年轻人也能吃上好吃的饺子了。老张还特别爱帮助人，谁有了困难，他都会帮忙，所以，公司里不管谁有了难事，有什么事要商量，都愿意找老张说。

★ 以下哪一项不是老张做的？

A 打扫办公室　　B 喜欢帮助人

C 每天来得很早　　D 找别人帮忙

★ 老张的妻子：

A 很会做饺子　　B 喜欢年轻人

C 常帮老张忙　　D 有了困难

## 五、读后写作 *Read and write*

### 塞翁失马（Sàiwēng shī mǎ a blessing in disguise）

很久很久以前，在北方的边境（biānjìng border, frontier）地区，一个老头丢了一匹（pǐ *a measure word for horses, etc.*）马。邻居们都觉得很可惜。可是，丢马的老头并不觉得很可惜，他的心情很平静（píngjìng calm），还说“这不一定是坏事”。

过了一些天，那匹丢失的马跑回来了，还带回来很多马。邻居们为丢马的老头感到高兴。可是，那老头心情还是很平静，并没有特别高兴，还说“这不一定是好事”。

有一天，老头的儿子骑马玩儿，摔断（shuāiduàn to break）了一条腿。邻居们为老头和他的儿子惋惜（wǎnxī to have pity on）。可是，老头并没有特别难过，还说“这不一定是坏事”。

又过了一些天，官府（guānfǔ feudal official）抓（zhuā to arrest）人当兵（dāng bīng to serve in the army），被抓走的年轻人，大部分都在战场（zhànchǎng battlefield）上战死（zhànsǐ to die in battle）了，因为老头的儿子摔断了腿，所以没有被抓走当兵，也就没有死。

要求：阅读上面的故事，写一篇读后感。

（90字）

（150字）

（240字）

（300字）

（390字）

# 15 我爱你，舌尖上的中国

# I Love Chinese Delicacies

## 一、朗读并背诵 *Read and recite*

塞翁 失马，马到 成功， 功 成 名就。
Sàiwēng shī mǎ, mǎ dào chénggōng, gōng chéng míng jiù.

愚公 移山，山 穷 水尽，尽善 尽美。
Yúgōng yí shān, shān qióng shuǐ jìn, jìn shàn jìn měi.

我 从 外国来，来时 张 不 开 口。
Wǒ cóng wàiguó lái, lái shí zhāng bu kāi kǒu.

现在 我要走，走时我口语 溜。
Xiànzài wǒ yào zǒu, zǒu shí wǒ kǒuyǔ liù.

请 让 我把感谢留下，请 让 我把汉语 带走。
Qǐng ràng wǒ bǎ gǎnxiè liúxià, qǐng ràng wǒ bǎ Hànyǔ dàizǒu.

学了汉语学 文化，更 多乐趣在其中。
Xuéle Hànyǔ xué wénhuà, gèng duō lèqù zài qízhōng.

节日是个好话题，过节方式 有 传统。
Jiérì shì ge hǎo huàtí, guò jié fāngshì yǒu chuántǒng.

一月一日是 新年，你说 元旦 我也懂。
Yīyuè yī rì shì xīnnián, nǐ shuō Yuándàn wǒ yě dǒng.

四月 五日 清明节，六一 快乐 是 儿童。
Sìyuè wǔ rì Qīngmíng Jié, liù yī kuàilè shì értóng.

一九四九新 中国，十月一日是 国庆。
Yī jiǔ sì jiǔ xīn Zhōngguó, shíyuè yī rì shì guóqìng.

舌尖 shéjiān tip of the tongue

乐趣 lèqù pleasure, joy

元旦 Yuándàn New Year's Day

清明节 Qīngmíng Jié Qingming Festival, Tomb-sweeping Day

儿童 értóng children, kids

情人节 和 圣诞节，中国 也在流行 中。
Qíngrén Jié hé Shèngdàn Jié, Zhōngguó yě zài liúxíng zhōng.

农历 新年 是 春节，一年 当中 最 看重。
Nónglì xīnnián shì Chūn Jié, yì nián dāngzhōng zuì kànzhòng.

农历 五月 端午节，八月 十五吃 月饼。
Nónglì wǔyuè Duānwǔ Jié, bāyuè shíwǔ chī yuèbing.

传统 的 中国，发展 中 的 中国；
Chuántǒng de Zhōngguó, fāzhǎn zhōng de Zhōngguó;

变化 的 中国，有 活力 的 中国；
biànhuà de Zhōngguó, yǒu huólì de Zhōngguó;

我 最 爱 的 还是——舌尖 上 的 中国。
wǒ zuì ài de háishi —— shéjiān shang de Zhōngguó.

山 不 转，水 在 转；水 不 转，风 在 转；
Shān bú zhuàn, shuǐ zài zhuàn; shuǐ bú zhuàn, fēng zài zhuàn;

风 不 转，人 在 转；人 不 转，心 在 转。
fēng bú zhuàn, rén zài zhuàn; rén bú zhuàn, xīn zài zhuàn.

心 在 转，就 好 办，再 回 中国 看 一 看。
Xīn zài zhuàn, jiù hǎo bàn, zài huí Zhōngguó kàn yí kàn.

情人节 Qíngrén Jié Valentine's Day
流行 liúxíng popular
农历 nónglì the lunar calendar
看重 kànzhòng to attach importance to
端午节 Duānwǔ Jié the Dragon Boat Festival
月饼 yuèbing moon cake
转 zhuàn to turn

**文化语句 *Cultural Quote***

吾 生 也有涯，而知也无涯。
Wú shēng yě yǒu yá, ér zhī yě wú yá.

## 二、实用阅读 *Practical reading*

五福临门

好年好景好运气　多财多福多吉利（jílì auspicious）

## 三、相关阅读 *Related reading*

春联（chūnlián Spring Festival couplets），是春节时在中国最常见的一种传统装饰（zhuāngshì ornament, decoration）。每当春节快到时，家家户户都在大门的两边贴上春联，红色的纸上写着黑色或金色的字，写着最吉利的语句，既表达人们对新年的美好祝愿（zhùyuàn wish），也表达人们对美好生活的向往，还能增加节日气氛（qìfēn atmosphere）。

通常春联包括上联、下联和横批（héngpī horizontal scroll for couplets）。传统贴春联的方法是：上联在右，下联在左。后来，汉语的书写习惯改为从左向右，春联也改为上联在左，下联在右，横批也是从左向右来读。

除了春联，春节时家家户户还要在门上、墙上、窗户上贴上大大小小的“福”字，这也是传统风俗之一。特别是大门上的“福”字，人们喜欢把它倒过来贴，因为“福”的意思是“福气（fúqi good fortune）”、“幸福”，而“福倒了”跟“福到了”同音，表示“福气到了”、“幸福到了”。

回答问题 Answer the questions.

1. 谈谈你对中国贴春联习俗的看法。你们国家有类似的习俗吗？

2. 试试看，你能写一副春联吗？

## 四、阅读练习 *Reading exercises*

1. 判断正误 Determine whether the following statements are right ( √ ) or wrong ( × ).

（1）我相信，只要有毅力，做事能坚持到底，最后一定能够成功。

从这句话我们知道：我现在很成功。（ ）

（2）既然天气不好，咱们就改时间吧。

从这句话我们知道：说话人建议换个时间。（ ）

（3）这些电器的使用寿命一般都在十年左右。

从这句话我们知道：一般电器可以用十年。（ ）

（4）要让节约、环保成为我们的习惯。

从这句话我们知道：我们已经习惯了节约、环保。（ ）

（5）真糟糕，我怎么也想不起来银行卡的密码了。

从这句话我们知道：我忘了银行卡密码。（ ）

（6）即使解决不了这个问题，也不必着急，回去再好好儿想想。

从这句话我们知道：现在不能解决这个问题也没关系。（ ）

2. 选出正确答案 Choose the right answers.

（1）我们只有一个地球，希望大家节约用电，节约用水，少用一次性东西，空调能不开就不开，出门多骑自行车，多坐公交车，多坐地铁，少开私家车。

★ 这句话想说的是：

A 骑车对身体好　　B 我们要爱护地球

C 一个地球太少了　　D 生活节约很重要

（2）春天到了，我们想在院子里种两棵树。妈妈说种银杏，到了深秋，银杏树的叶子就会变成黄色，漂亮极了。爸爸想种葡萄，说他有一个好朋友，家里就种了葡萄，那葡萄比买的好吃多了，他一定要种朋友家那种葡萄。哥哥想种苹果，说苹果对身体好，而且苹果保存的时间长，以后长的苹果多了，能放一冬天，慢慢吃，就不用买水果了。我当然赞成爸爸和哥哥的意见，这样，院里就有葡萄、有苹果了，吃着也方便。可妈妈还是很坚持。为这事，我们开了好几次会，商量了整整两个星期，妈妈才很不情愿地同意了我们三个人的意见。

★ 谁的意见和别人的都不一样？

A 我　　B 妈妈　　C 爸爸　　D 哥哥

★ 爸爸为什么想种葡萄？

A 朋友让他种葡萄　　B 葡萄越来越贵

C 他朋友会种葡萄　　D 朋友家葡萄特好吃

★ 哥哥为什么想种苹果？

A 吃苹果有好处　　B 种苹果很容易

C 苹果树可以过冬　　D 哥哥喜欢吃苹果

## 五、读后写作 *Read and write*

### 愚公移山

古时候，有位老人叫愚公，年纪很大了。他家的门前有两座大山，一家人进进出出很不方便。有一天，愚公把家里人叫到一起，跟家人说："我决心带着大家把这两座山搬走。我们每天不停地挖山，山只会越来越矮，不会再增高，这样我们总（zǒng anyway, sooner or later）有一天会把山挖平（píng flat）。"

邻居家的一位老人对愚公说："你这么大年纪了，怎么可能把山挖平？"愚公说："我年纪大了，可是我有儿子，儿子还会有儿子，子子孙孙不停地挖山，一定会把山挖平的。"于是，愚公带着儿孙们每天不停地挖山。

这件事感动了上帝，上帝派两个神仙（shénxiān immortal being）把两座大山背走了。

这个故事说明，有目标、有决心、有行动、能坚持（jiānchí to insist, to persist），就能成功。

有人说，这个故事也体现了中国人对家、对家乡的感情——宁可（nìngkě would rather）搬山，也不搬家。

要求：阅读上面的故事，写一篇读后感。

（90字）

（150字）

（240字）

（300字）

（390字）

# 《发展汉语》（第二版）

## 基本使用信息

| 教 材 | 适用对象 | 每册课数 | 每课建议课时 | 每册建议总课时 |
|---|---|---|---|---|
| 初级综合（I） | 零起点及初学者 | 30课 | 5课时 | 150-160 |
| 初级综合（II） | | 25课 | 6课时 | 150-160 |
| 中级综合（I） | 已掌握2000-2500词汇量 | 15课 | 6课时 | 90-100 |
| 中级综合（II） | | 15课 | 6课时 | 90-100 |
| 高级综合（I） | 已掌握3500-4000词汇量 | 15课 | 6课时 | 90-100 |
| 高级综合（II） | | 15课 | 6课时 | 90-100 |
| 初级口语（I） | 零起点及初学者 | 23课 | 4课时 | 92-100 |
| 初级口语（II） | | 23课 | 4课时 | 92-100 |
| 中级口语（I） | 已掌握2000-2500词汇量 | 15课 | 6课时 | 90-100 |
| 中级口语（II） | | 15课 | 6课时 | 90-100 |
| 高级口语（I） | 已掌握3500-4000词汇量 | 15课 | 4课时 | 60-70 |
| 高级口语（II） | | 15课 | 4课时 | 60-70 |
| 初级听力（I） | 零起点及初学者 | 30课 | 2课时 | 60-70 |
| 初级听力（II） | | 30课 | 2课时 | 60-70 |
| 中级听力（I） | 已掌握2000-2500词汇量 | 30课 | 2课时 | 60-70 |
| 中级听力（II） | | 30课 | 2课时 | 60-70 |
| 高级听力（I） | 已掌握3500-4000词汇量 | 30课 | 2课时 | 60-70 |
| 高级听力（II） | | 30课 | 2课时 | 60-70 |
| 初级读写（I） | 零起点及初学者 | 15课 | 2课时 | 30-40 |
| 初级读写（II） | | 15课 | 2课时 | 30-40 |
| 中级阅读（I） | 已掌握2000-2500词汇量 | 15课 | 2课时 | 30-40 |
| 中级阅读（II） | | 15课 | 2课时 | 30-40 |
| 高级阅读（I） | 已掌握3500-4000词汇量 | 15课 | 2课时 | 30-40 |
| 高级阅读（II） | | 15课 | 2课时 | 30-40 |
| 中级写作（I） | 已掌握2000-2500词汇量 | 12课 | 2课时 | 30-40 |
| 中级写作（II） | | 12课 | 2课时 | 30-40 |
| 高级写作（I） | 已掌握3500-4000词汇量 | 12课 | 2课时 | 30-40 |
| 高级写作（II） | | 12课 | 2课时 | 30-40 |

图书在版编目 (CIP) 数据

初级读写. 2 / 李泉, 王淑红, 么书君编著. — 2版.
— 北京：北京语言大学出版社，2013.3(2019.4 重印)
（发展汉语）
ISBN 978-7-5619-3461-6

Ⅰ.①初…　Ⅱ.①李…②王…③么…　Ⅲ.①汉语—阅读教学—对外汉语教学—教材 ②汉语—写作—对外汉语教学—教材　Ⅳ.①H195.4

中国版本图书馆 CIP 数据核字（2013）第 034441 号

书　　名：发展汉语（第二版）初级读写（Ⅱ）
FAZHAN HANYU (DIERBAN) CHUJI DUXIE ( Ⅱ )
责任印制：周　燚

出版发行：北京语言大学出版社
社　　址：北京市海淀区学院路 15 号　　邮政编码：100083
网　　址：www.blcup.com
电　　话：发行部　010-82303650 / 3591 / 3651
编辑部　010-82303647 / 3592 / 3395
读者服务部　010-82303653 / 3908
网上订购电话　010-82303668
客户服务信箱　service@blcup.com
印　　刷：北京中科印刷有限公司
经　　销：全国新华书店

版　　次：2013 年 3 月第 2 版　　2019 年 4 月第 8 次印刷
开　　本：889 毫米 ×1194 毫米　1/16
印　　张：6.5
字　　数：98 千字
书　　号：ISBN 978-7-5619-3461-6 / H · 13013
定　　价：32.00 元